D0433853

Kees Kooman (samenstelling)

Runner's high

De beste hardloopverhalen

Nieuw Amsterdam *Uitgevers*

Omslagontwerp Mulder van Meurs
Omslagillustratie © iStock/YanLev
NUR 320/489
ISBN 978 90 468 1051 4
www.nieuwamsterdam.nl/keeskooman

Inhoud

Woord vooraf

De drijfveer van ongeveer vier miljoen Nederlanders om regelmatig een stukje (min of meer) hard te lopen, kent vele varianten. In conditie blijven of juist geraken, afvallen, fysieke grenzen verleggen, of het door dagelijkse besognes geplaagde hoofd 'leegmaken en opladen'. Dit boek is vooral te danken aan de laatste categorie: schrijvers op zoek naar inspiratie.

Een paar jaar geleden kwamen de initiatiefnemers Rolf Bos, Jac. Toes en ondergetekende op het idee om in navolging van *Hard gras* (voetbal) en *De Muur* (wielrennen) een kwaliteitstijdschrift op te richten voor lopers: *42*. Het getal is een knipoog naar de marathon maar ook naar de sciencefictiongoeroe Douglas Adams, die een computer liet berekenen wat de betekenis van het leven is. Na 7,5 miljoen jaar geeft de machine eindelijk antwoord in de vorm van een cijfer: 42!

Een dergelijke titel lijkt pretentieus, maar wij wilden nu juist de op het eerste oog serieuze hardloopwereld ook een lachspiegel voorhouden. Dus geen doorwrochte verhalen over het nut van bananen eten, geen uiteenzettingen over de gunstige effecten van intervaltraining en beslist veel meer dan marathon alleen. We wilden vooral uitroeptekens vermijden ten gunste van vraagtekens. Waarom? Hoezo? Wie weet?

Veel goede literatuur laat de lezer achter met meer vragen dan dat er antwoorden worden gegeven. 'Lopen is bidden voor de ongelovige of de zoekende,' schreef Johanna Spaey eens. 'Wat is een boek in een boekenkast dat niet werd geschreven in een zwetend hoofd, op het ritme van die eindeloze duurlopen,' voegde deze auteur eraan toe. Zij is een van de vele schrijvers die in dit boek, een verzameling van het beste uit *42*, aan het woord komen.

Voor haar en de vele medeauteurs van *Runner's high* geldt wat voor de lezer opgaat: het leven is mooi, maar dankzij de gewoonte om af en toe hard te lopen nog aangenamer. Goed ademhalen onderweg en vooral je blijven verwonderen.

Kees Kooman

Kees van Beijnum

Het is een clown

Bij de start in Marathon kijkt hij om zich heen. Het gedraai en getrappel, de sprongetjes op de plaats, het gefriemel aan startnummers en zonnebrillen. Uit zijn ooghoeken ziet hij Gharib, de Marokkaan, regerend wereldkampioen. Iets verderop, Tergat uit Kenia, de snelste ooit: 2.04.55. Maar vandaag hoef je geen wereldrecord te lopen, zelfs geen persoonlijk record. Wat je vandaag moet klaarspelen, is de anderen voorblijven. Van de meeste lopers kent hij de namen of gezichten. Sommigen gaan het maken, misschien wel vandaag. Anderen komen er nooit, hoe hard ze ook trainen. Een wijsheid van Ricardo, zijn coach. Er kunnen altijd een paar gevaarlijke jonge honden tussen zitten die hij normaal gesproken in zijn zak heeft, maar hier hun beste tijd neerzetten, die ene, nooit meer te evenaren uitschieter. En dan had je nog de routiniers, de kanshebbers die niets, geen meter cadeau geven. De rest is kansloos, ze hebben een startnummer en komen met een beetje geluk twee keer voorbij op tv. Zijn nummer is 1234.

Het is warm, maar de zon baart hem geen zorgen. Hij heeft haar verkend, zijn leven lang. Eerst op de suikerplantages in Cruzeiro do Oeste, en later in Sao Paolo. Brazilianen en zon: een huwelijk voor het leven. Maanden achtereen trainde hij in de heuvels van Colombia. Lopen op het heetst van de dag. De laatste drie weken van zijn voorbereidingen voegde hij zich naar de Europese klok: eten, slapen, rennen, tv-kijken, om zijn lichaam aan het tijdsverschil te laten wennen. Athene, hij is hier nu vier dagen. Tijdens het WK van '97 heeft hij hetzelfde parcours gelopen. Een zwaar parcours, geschikt voor iemand met 'benen', te zwaar voor de lichtvoetige *flyers*, de jongens die op een vlak parcours gracieus naar 2.07 fladderen zonder dat je een voetstap hoort. Hij heeft de route doorgesproken met Ricardo, hij heeft de plattegronden bestudeerd. 's Avonds laat in bed verkende hij met gesloten ogen de bochten, de stijgingen en dalingen. Hij kon zichzelf zien lopen.

Het laatste half jaar heeft hij zijn lichaam afgebeuld. Trainen, trainen en nog eens trainen. 's Middags rusten, 's avonds op tijd naar bed, en iedere dag trouw aan zijn dieet van graan, fruit en voedingssupplementen. Zijn bloedwaarde is indrukwekkend, zijn hartslag beter dan ooit. Hij is klaar, hij wil los.

Ze zijn weg, het hele veld dicht op elkaar, als een zwerm uitgehongerde spreeuwen. Zoekend naar een plekje, naar de juiste cadans. Op hun lichtgewicht polshorloges tikken de eerste seconden weg.

Wie heeft het beste lichaam? Wie kan de pijn, de onvermijdelijke pijn, het beste wegdenken? En wie zijn er vandaag in het voordeel? Misschien de Europeanen, goedgetraind, gedisciplineerd, strategisch – de Spanjaarden zijn hittelopers, maar de jongens uit de meest noordelijke landen zullen onvermijdelijk smoren in de zon. Of de Afrikanen met hun lange, gulzige passen, zonder schroom voor welk parcours dan ook. Misschien de Aziaten, hoewel hij dat niet gelooft. Zuid-Amerikanen zijn voetballers, geen langeafstandlopers, zei iemand ooit tegen hem. Te lui.

Hier loopt hij nu, in geel-blauw, voor Brazilië. En voor Nike natuurlijk. Suikerplantagearbeiders en hun zonen. 's Ochtends vroeg samen met zijn vader in de laadbak naar het werk. Pannetjes mee. Koude rijst, koude kippenvleugeltjes, koude empanadas. De koude eters werden ze genoemd. Op weekdagen, na het werk, en op de zondagen, naar het kaalgetrapte voetbalveldje. Over de weg suisden de vrachtauto's voorbij, die naar het noorden gingen. De jongens van het veldje droomden ervan een Socrates of Zico te zijn: beroemd, bejubeld. Ze droomden van Porsches, fotomodellen, zwembaden. Zijn helden waren Lopes – Carlos Lopes – en Bikila, maar dat sprak voor zich. Tengere, pezige mannen met een ijzeren wil. Abe Bikila won twee keer, waarvan één keer op blote voeten.

Vijf kilometer. Ze maken een lange lus. De eerste keer drinken, graaiende handen. Nog tien kilometer vals plat te gaan. Hij zit voorin, volgens plan. Als je in het midden of achteraan in een grote groep loopt, waar iedereen nog dicht op elkaar zit, dan is het lastig zoeken naar je bidon.

Het gaat snel, maar niet te snel. Hij voelt zich sterk. Alert ook. Drie keer liet hij iedereen achter zich. De laatste overwinning, een maand of vier eerder in Hamburg: 2.09.39. Hoe ver zou hij daar vandaag mee komen?

Bij de eerste drie, dat heeft hij met zijn trainer en managers afgesproken. Ik loop om bij de eerste drie te komen.

De vrolijke herrie van de mensen langs de kant. Politieagenten in uniform, motoragenten, rechercheurs in burger met oorplugjes. Vlaggen: Italiaanse, Engelse, Griekse vooral. Mensen met hun armen in de lucht, vaders met hun kinderen op de schouders, applaudisserende vrouwen. Een jongen in voetbaltenue fietst al een minuut of wat met hem mee, afwisselend verschijnend voor en verdwijnend achter de toeschouwers langs. Vóór hem, de wagen met een laadbak vol persmensen, scherp afgetekend in de zon. De minuten verstrijken langzaam. Ze zijn nog maar net begonnen. Zijn benen voelen goed. Hij neemt nog een slok en werpt zijn bidon met een boogje weg.

‘Hoe schat je je kansen in? Wat verwacht je van de Afrikanen?’

Hij denkt aan de vragen die journalisten hem stelden.

‘Wat wordt de winnende tijd? Wat zijn je hobby’s?’ En: ‘Hoe staat het met de vorm?’

Maar weinigen geloven echt in zijn kansen, zelfs de echte chauvinisten niet. Hij hoort het aan de toon van de vragen. In een veld met jongens die dit jaar 2.06 liepen, kan hij met zijn persoonlijk record van 2.08.31 natuurlijk niet anders verwachten.

Interviews, persconferenties, ontmoetingen met mannen in blazers: het blijven voor hem de beproevingen van de sponsortrouw. Hij ondergaat ze met een verdrietige benauwdheid, telkens wanneer ze hem weer laten opdraven. 'Probeer het als een spelletje te zien,' adviseert zijn manager.

Na afloop maakt hij zich uit de voeten, de hotellobby door, op zijn Nikes de straat op, tussen de auto's op de parkeerplaats door, de wind op zijn wangen. De eerste stappen, een, twee, drie, in een zucht is hij op gang, bevrijd. Het piepje van zijn horloge als hij de stopwatch indrukt voor een lichte training van een uurtje. 53 kilo kilo's gestaalde wilskracht. Lopen is zijn antwoord op alle vragen.

Ze zijn nu vijftig minuten onderweg. Ramaala loopt in zijn eentje voorop. Nog even en dan gaat het een stukje steil omhoog. Het zweet druipt langs zijn ribbenkast. Hij loopt nog steeds in het voorste groepje en voelt zich sterk. Als er niemand weg durft te gaan, kan hijzelf iets proberen. Vroeg aanvallen, de anderen slopen op de klim, om te voorkomen dat de snelle *finishers* in de laatste vijf, zes kilometer omlaag er met eigenzinnige pasjes vandoor gaan. Hij is iemand die de pijn in het midden van de race aankan, beter nog dan aan het einde. Er zijn allerlei soorten pijn en de juiste manier om die te weerstaan, is je eraan over te geven. Net zoals aan het licht op het asfalt van de weg, de weg die naar geschiedenis leidt, onweerstaanbaar helder op deze zomerdag. Hij loopt licht en hij kan nog meer, hij voelt het. A-be-be, A-bebe... Op de cadans van zijn passen ontsnappen de lettergrepen aan zijn gedachten. Iemand met een camera hangt half over de afzetting om een flitsfoto te maken. Ramaala's rug komt dichterbij.

Ze draaien een lange bocht in, het begin van de klim, met maar een stuk of zes andere lopers voor hem. Hij kijkt snel over zijn schouder en ziet een uitgedund veld met groepjes. Vanaf hier wordt het zwaarder. Dat weten de anderen natuurlijk ook, maar wie heeft de moed om aan te zetten? – dat is de vraag. Als je er niet meer dan twee voor je hebt, sta je op het podium. Hij probeert het vooruitdenken tegen te houden. Er is alleen nog de weg vóór hem, Ramaala's groene shirt, de stemmen langs de kant. Ze lopen al ruim een uur als ze de Zuid-Afrikaan inhalen. Hij versnelt en laat de anderen geleidelijk aan achter zich. Een motor met een cameraman achterop komt traag langszij. Van Anchorage tot Cruzeiro do Oeste zitten ze voor de tv. A-be-be, A-be-be... Een getal met heel veel nullen, miljarden, hij heeft het in de krant gelezen. In de verte, op een balkon, staat een man met een Italiaanse vlag te zwaaien.

Vijfendertig is hij. In 1996 en 2000 was hij er ook bij. Hij kwam eerst ergens in de veertig en daarna in de zeventig binnen. In 2008 zou hij negenendertig zijn. Te oud!

Vandaag loopt hij voorop, het zijn niet altijd de kanshebbers die winnen. Voorop en helemaal alleen, zonder trainers, managers, psychologen, fysiologen of voedingsdeskundigen. Hij vist een strip gel met suikers uit zijn broekzakje en stopt de dikke substantie in zijn mond. Het spul smelt op de tong. Dit is zijn kans. De laatste! Driemaal, is scheepsrecht. Als hij ooit nog eens op de Spelen terugkomt, is het als trainer of als iemand uit de gelederen van de bond. Waarom niet?

De meeste trainers en managers hebben indertijd zelf meer of minder verdienstelijk gelopen en maken nu deel uit van een andere generatie, een zorgeloze klasse in te strak zittende sponsorkleding. Ze kunnen in twaalf talen een biefstuk met gebakken aardappelen bestellen en weten waar je in Rome je schoenen moet kopen. Ze hebben hem geleerd zijn weg te vinden van hotelkamer naar hotelkamer. Parijs, New York, Hamburg, Santa Domingo. Portiers, kamermeisjes, afgeladen buffetten met vers uitgeperst mangosap. Zachte stoelen in de lobby. Ricardo die met zijn voeten op tafel een praatje met hem maakt terwijl buiten mannen in overalls vuilcontainers naar een vrachtwagen duwen.

Door hem heeft hij de wereld gezien, kan hij zijn twee dochters riant onderhouden en zijn familie bijstaan. Er is veel, heel veel, gebeurd. Vooral veel goeds, sinds hij op zijn achttiende de lange reis naar Sao Paolo maakte om zich bij zijn club Funilense te melden. Op de imperiaal van zijn vaders auto lag een opgerold kleed, bestemd voor zijn nieuwe kamer. Dat kleed zal hij nooit vergeten.

Hij zit op de helft en heeft vijftien seconden voorsprong. De weg hier is breed, er zou een colonne tanks overheen kunnen rijden. Zweetdruppels in zijn wenkbrauwen. Luchtspiegelingen boven het wegdek. Nog steeds voelt hij zich goed. De rijen langs de kant worden dikker en dikker. Ze lachen en schreeuwen naar hem, slaan op trommels, zwaaien met hun armen. Ze hangen in lichtmasten, zitten op grote reclameborden, op bushuisjes. De rijdende camera verliest hem geen seconde uit het oog. Langzaam maar zeker lijkt hij te verdwijnen in het ritme van zijn benen, in zijn ademhaling, in het ophopende zweet. Weggezogen in een waas van wit licht dat hem opneemt en voortstuwt.

Bij 25 kilometer staan alle bidons nog in onberispelijke rijen op de lange tafels. Hij grist de zijne weg, trekt met zijn tanden de gel eraf die hij er vanochtend vroeg zelf op heeft geplakt en stopt hem in zijn mond. Hij zuigt, hij kauwt, hij drinkt. De zon schijnt hem recht in zijn gezicht. Zijn voorsprong wordt groter en groter. Zátopek, Cierpinski, Lopes. Bikila ging ook alleen voorop. Achtentwintig kilometer. Negenentwintig. Langzaam maar zeker loopt hij uit naar één minuut voorsprong. In gedachten is hij er al met iemand over in gesprek. Achteraf. Hij heeft een beeld, hij ziet zichzelf het hele verhaal van de wedstrijd navertellen. Tegen iemand van de televisie met een koptelefoon op.

Geleidelijk aan trekt het waas op en keert hij in zijn lichaam terug. Hij ervaart de eerste echte pijn, als een zwaarte. Vanaf nu wordt het moeilijk. De aloude angst: kan ik het houden? Twaalf kilometer om zestig seconden te verdedigen. Niet onmogelijk, als hij niet instort. Sydney 2000: je stuklopen op 2:37. Hij maant zichzelf aan iets anders te denken. Nog even en het gaat omlaag, helemaal tot aan het marmeren stadion met de streep. Hij richt zijn blik op een hoog gebouw. Het staat veraf, maar hij ziet haar zware schaduw. Op een met gras begroeide heuvel staan en zitten honderden mensen, kleurige mieren. Als hij dit tempo kan volhouden, komt hij twee, drie minuten boven zijn persoonlijk record uit. Tokio '96: die dag dat hij wonderbenen had en op 2:08:31 binnenkwam. In New York liep hij nog een keer precies 2:08:31. Soms lijkt zijn leven te bestaan uit een reeks van steden en tijden.

Meter voor meter begroet de menigte hem. De boodschap dat hij in aantocht is, snelt hem vooruit, wordt zichtbaar in de naar voren schietende lichamen, de draaiende hoofden, een hand boven de ogen. Tienduizenden hem onbekende mensen achter de afzetting, schouder aan schouder, om een beeld van het zwetend zwoegen op te vangen, deel te hebben aan een historisch moment, misschien wel dat van deze kleine man die hij is, de tengere Braziliaan op zijn Nikes.

Bij 35 kilometer weer een bidon met zelfgeplakte gel erop. Hij krijgt het dikke spul nauwelijks weg. Het kleeft aan zijn tong, blijft steken in zijn droge keel. Hij drinkt, en loopt een poosje met zijn mond halfopen. Met zijn pols wist hij het zweet van zijn voorhoofd. Nog dertig seconden voorsprong. Boven hem trekt de hemel langzaam dicht. De motor van de cameraploeg maakt een gestaag wurgend gegrom. De rijen langs de kant zijn nu kronkelende, deinende lijnen van hitte en licht. Hij werpt de bidon weg en denkt een poosje aan niets anders dan zijn benen. Hij tuurt naar de weg, naar het steeds donker wordende asfalt.

Dan, even voorbij kilometer 36, verschijnt er iets in zijn blikveld. Het nadert hem schuin van opzij, doelgericht en glinsterend in de zon. Het is een clown, althans dat is zijn eerste indruk. Een man met een groengestreept vest zonder mouwen, een rode rok, groene kniekousen. Op zijn hoofd draagt hij een groene baret. Het zou niet mogelijk moeten zijn, maar het gebeurt: de man komt op hem af, met stijve benen, en er is niemand in zijn nabijheid om hem te stoppen. Van het ene op het andere moment hangt er een verlammende geladenheid in de lucht.

Als ze elkaar dicht genaderd zijn, probeert hij de man te ontlopen door naar de afzetting af te buigen. Hij heeft nog zo'n anderhalve meter ruimte aan zijn rechterzijde, maar het lukt niet, het gaat te snel, te overdonderend. Bovendien wil zijn lichaam niet opzij. Het wil maar een ding: dat wat het de afgelopen 110 minuten heeft gedaan: recht naar voren lopen, doorgaan. De man strekt zijn armen uit, grijpt hem in een wolfachtige aanval bij zijn schouders en duwt hem naar opzij, naar de afzetting. In een flits is er de gedachte aan een mes, een pistool. Een vrouw in een oranje trainingspak slaat haar handen voor haar ogen. Mannen brullen in zijn richting. Een siddering van schrik trekt door de rijen. De druk van die klem om zijn schouders neemt toe, dwingend. Een krankzinnige? Verder en verder duwt de man met de rode rok hem naar achteren, totdat hij stilvalt en klem tegen de afzetting en de toeschouwers staat. Hij kan hun adem voelen, de hese stem van de idioot die hem nog steeds vasthoudt in zijn oren horen. Het duurt maar even, maar het lijkt lang, heel lang, terwijl hij steeds verder ingesloten raakt door schouders en armen en hoofden en kreten, en hij de schaduw in tuimelt en hem niets anders rest dan overgave: de deemoed, stil en hijgend, van een dier met ongedekte keel. Dan schieten er van alle kanten mannen op hem af. Hij voelt ze sjorren, hij hoort ze schreeuwen en plotseling is hij los. Hij komt weer in beweging en ziet alles opnieuw, verdwaasd. Vreemd. Alsof hij op klaarlichte dag uit de bioscoop stapt. Het asfalt, de rijen mensen, de motor. Het zonlicht is nu zo helder dat het pijn doet aan zijn ogen.

Hij loopt, hij loopt weer, en nog steeds voorop. Hoeveel nog, is het eerste wat hij denkt, hoeveel seconden heeft hij verloren? Hij zoekt naar het ritme, naar de juiste cadans, maar zijn benen voelen stijf en zwaar. Hij mag zich niet kapot lopen, dan is het voorbij. Een gek in een rode rok.

Hij ziet het aan de mensen, aan hun blikken, die van hem naar een punt achter hem zwenken. Ze gillen naar hem, zwaaien, wijzen. Over zijn schouder ziet hij Baldini naderen met een gezaghebbende pas. En achter de Italiaan loopt, als hij het goed heeft, een van de Afrikanen. Hij probeert zich door de taaie weerstand heen te worstelen, maant zichzelf om kalm te blijven. Het zweet gutst over zijn dijen. Nog minder dan vierduizend stappen.

De eerste die voorbijkomt is Baldini, kaarsrecht en ongenaakbaar. Hij probeert aan te haken, tegen beter weten in. Maar iedere seconde dat hij zich kan laten meesleuren, is er één. Een korte tijd nadat hij gelost heeft, komt Keflezighi voorbij in het tenue van de USA. Verloren, alles verloren. Uitlaatgassen prikkelen zijn keel. Zijn hele lichaam wil stoppen, uitstappen. In een uiterste inspanning richt hij zijn blik op de witte pet van Keflezighi. Daarachter, in de smog, verrijst het stadion. Twee man voor hem. Snel werpt hij een blik over zijn schouder. Een aanzienlijk niemandsland, daarachter pas weer wat beweging. Als hij zijn positie nu weet vast te houden, staat hij dadelijk toch op het podium. Hij blijft naar de pet van Keflezighi kijken, die steeds verder weg danst. Maar de afstand is niet verontrustend. Hij moet dit volhouden, pijn of geen pijn, met of zonder engel des doods op de hielen. In de verte gillen sirenes. Politieagenten werken de opdringerige, almaar aanzwellende hoeveelheid toeschouwers achter de afzetting. De hoge muren van het stadion komen dichterbij. Nog maar twee man voor hem. Hij voelt dat hij weer naar een ander niveau stijgt.

Met zijn armen gespreid als vleugels komt hij het stadion binnen. Een oorverdovend gebrul stijgt op naar de zinderende hemel, vult de stad. De menigte komt overeind, klapt, schreeuwt, danst, huilt in een vuur van opwinding, terwijl hij de roodoranje boog volgt voor het laatste stukje. In de verte ziet hij Baldini staan, een beetje eenzaam en triest ondanks de fotografen. Keflezighi gaat uitgeput over de streep. Nog maar een paar honderd meter. Er komt geen einde aan het klappen en schreeuwen. Het ene gebrul maakt het andere los. Voor hém. Hij weet het, voor hem alleen. Op hun speciale tribune maakt het legertje opgewonden fotografen in vestjes zonder mouwen zich los van Baldini. Ze hergroeperen zich voor zijn komst. Hij ziet Ricardo. Dan ziet hij, op het grote scherm boven de tribunes, zichzelf in de hitte en het licht van deze middag. Nu, met zijn armen boven zijn hoofd. De laatste, allerlaatste meters. Gewichtloos glijdt hij over de streep.

Abdelkader Benali

In Marokko is de start een massasprint

Mijn Algerijnse kamergenoot heeft zijn benen samengeknoopt met zijn Fila T-shirt en ligt nu op zijn rug op bed, de benen boven het hoofdeinde van het bed geplaatst zodat het bloed, naar eigen zeggen, van de voeten naar de bovenbenen kan stromen, want dat is waar hij het bloed nodig heeft. We delen samen een kamer in hotel La Perce Neige in Ifrane op 1600 meter hoogte, dé plek in Marokko voor professionele hardlopers – de plek die ik heb uitgekozen om deze zomer mijn hoogtestage te doen in mijn zoektocht naar het geheim van de ware hardloper. Ik lig nu op mijn bed naast een ware hardloper. Nouredinne uit Algerije, nationaal kampioen op de halve marathon. Uitstekend veldloper en nu een aankomende ster op de tien kilometer, maar het viel hem niet mee gisteren, hier in Marokko, tussen al die Marokkanen. Hij kijkt sip voor zich uit. Halverwege de wedstrijd uitgestapt. Het ging gewoon niet meer. Die Marokkanen.

Hij heeft nog altijd last van de spierpijn, opgelopen op de tien kilometer van Tighassaline in de Midden-Atlas van Marokko, zo'n vierhonderd kilometer landinwaarts van de hoofdstad Casablanca vandaan, op 900 meter hoogte. Nouredinne likt zijn wonden. 'Die Marokkanen gaan zo hard, niet te begrijpen,' zegt hij tegen me, en hij ademt diep in en uit, sluit zijn ogen en probeert in slaap te vallen terwijl ik aan die tien kilometer denk die ik ook heb gelopen.

De start vond plaats om tien uur 's ochtends bij een temperatuur van 35 graden in het kleine stadje Tighassaline – een armoedig dorpje waar de enthousiaste, welwillende bewoners hard op zoek zijn naar nieuwe vormen van inkomsten. Een hardloopwedstrijd. Na de start in Tighassaline kronkelt de weg naar beneden, gaat langs de lemen huisjes waar de bewoners naar de lopers glimlachen en zij die ze kennen aanmoedigen om daarna, over een drooggevallen rivier en door de weilanden waar normaliter graan wordt verbouwd door de Berberboeren, aan te komen op een stoffig landweggetje dat ons over zes kilometer voert naar de laatste vier in de verzengende hitte. Op het laatste stuk klimmen we dan nog anderhalve kilometer. Ik ben niet alleen aangekomen. Deze wedstrijd wordt georganiseerd door Rachid Ben Meziane, een Nederlands-Marokkaanse loopmanager en ik mag mee. Zijn goede Nederlandse vriend Danny is ook mee. Op Schiphol zegt hij tegen me: 'Hardlopen in Marokko. Ik kan het niet beschrijven.' Hij zal gelijk krijgen. In Marokko komen we de andere deelnemende internationale atleten uit Oostenrijk en twee toplopers uit Kenia tegen. Met hen verkennen we het deels hobbelige parcours vanuit een busje, dus wij, het vreemdelingenlegioen, weten wat ons te wachten staat. Bij de perspresentatie in het gemeentehuis word ik als een internationale topper van deels eigen bodem gepresenteerd. Ik doe niets om deze weelde ongedaan te maken.

Het is de eerste keer dat in Tighassaline een tien kilometer wordt georganiseerd. Het is dus echt pionierswerk met al het enthousiasme, de rommeligheid en de traagheid die er bij hoort. Over vijfentwintig jaar zal zoon aan vader vragen of hij op die gedenkwaardige achtste van de achtste in het jaar 2007 bij de tien van Tighassaline was.

'Ja, zoon, ik was er. Ik heb 'm zelfs gelopen en kreeg na afloop niet eens een T-shirt. Gelukkig zijn de tijden veranderd. Je krijgt tegenwoordig twee T-shirts.'

Dit evenement weerspiegelt eerder een oververhit gekkenhuis waarin ieder zijn plaatsje zoekt om er het beste van te maken dan dat het lijkt op iets van een geordende wedstrijd of meer literair gezegd: een verhaal waarvan je dacht de inhoud te kennen, dat naarmate je verder leest steeds onsamenhangender wordt, maar tegelijkertijd alleen maar toeneemt in zijn mysterieuze kracht. Is het mijn avontuurlijke inborst dat ik dit alles gretig in me opneem en onderga? Mijn Nederlandse reisgenoot, Danny, had me al gewaarschuwd: 'Hou je taai bij de start, als er al een start is.' Hij blijkt niets te veel te hebben gezegd. De aanloop ernaartoe is spectaculair genoeg. Niet alleen worden we de dag voor de wedstrijd ontvangen door een stoet Berberruiters die met karabijnen in de lucht schieten om ons welkom te heten, waarna we als hardloopkampioenen worden gepresenteerd aan het samengestroomde publiek, op de dag van de start zelf is – op het startschot na – iedere vorm van ordentelijkheid of organisatie afwezig, laat staan de zelfbeheersing onder de hardlopers zelf. De start is een massasprint. De financiële belangen zijn groot. De winnaar verdient genoeg dirhams om het een half jaar met zijn familie uit te zingen. De wedstrijd kan de voorbode zijn van olympische roem. De opwinding is begrijpelijk.

Massa's jongens en een paar meisjes zijn samengekomen om in deze heksenketel een poging te wagen de vijftienduizend dirham die de winnaar toevalt in de wacht te slepen. Ze wachten geduldig in de schaduw van de muurtjes op de aankondiging van de start. Sommigen van hen hebben iets aan wat in de verte op hardloopschoenen lijkt, maar bij nader inzien het predicaat 'trimschoen' niet mag dragen. Het deert ze weinig, zo zal ik later bij het lopen zelf zien, want ze vliegen over de stoffige weg alsof ze door een motortje worden voortgedreven. Ook degenen die op plastic sandaaltjes lopen.

Op het natgemaakte en speciaal voor deze dag geëgaliseerde terrein, waar ook de finish zal zijn, lopen ze met z'n honderden in, begeleid door een omroeper die het hoe en wat van dit unieke evenement in de oren tettert. Even daarvoor heb ik met Karim gesproken die uit Marseille is overgekomen om eerst deze wedstrijd te lopen en daarna zijn familie in het zuiden van het land te bezoeken. We zitten samen in de gekoelde bus die ons van Khénifra naar Tighassaline brengt. Hij is militair in het Franse vreemdelingenlegioen – ik dacht dat het was afgeschaft – en heeft mede op basis van zijn hardlooptalent de strenge ballotage doorstaan. Nu verdeelt hij zijn tijd tussen hardlopen en operaties in de francofone gedeelten van de wereld. Zijn toptijd ligt rond de 29 minuten, zegt hij heel bescheiden. En dat is inderdaad niets bijzonders in deze streken waar het hardloperspotentieel gigantisch moet zijn, gelet op de Marokkaanse hardlopers die tijdens mijn verblijf in het hardlopershotel in Khénifra, op 27 kilometer van Tighassaline, uit het niets lijken op te duiken om aan deze wedstrijd mee te doen. Dit zijn lopers die al een status hebben, laat staan de lopers die op het punt staan te gaan meedoen, barstend van het talent en, wat belangrijker is, de urgentie om met de benen uit de armoede te ontsnappen. Ik vraag Karim wat hij van de Kenianen vindt. 'Het zijn niet de Kenianen die me zorgen baren. Het zijn de Marokkanen,' zegt hij bij het avondeten, terwijl hij met zijn grote ogen de ene na de andere loper die rondom ons zitten, scant. Alle lopers hebben één ding met elkaar gemeen: ze kauwen hun eten zo traag mogelijk. De Marokkaanse lopers op hun beurt hebben weer weinig ontzag voor de Kenianen. 'Ze kunnen van je winnen in een wedstrijd, maar daarna zijn ze opgebrand.' Als ik vraag wie ze dan wel hoog hebben zitten, zeggen ze allemaal: 'De Ethiopiërs. Die presteren over een lange periode op een zeer hoog, constant niveau. Gebrselassie en natuurlijk Bekele. Zijn tien kilometer in Brussel. Eén lange sprint. Onbeschrijfelijk.'

Een buitenlander die in Marokko wil hardlopen, moet eerst schoon schip maken met zijn verwachtingen en ervaringen over hardlopen. Het begint al bij de start die hier een hoogst onzekere aangelegenheid is. Er is dan wel een streep getrokken, een doek opgehangen en een touw gespannen waar alle lopers onderdoor duiken, maar er is niemand die zich aan die startstreep houdt, zelfs wanneer de officials met man en macht proberen ons achter de streep te krijgen. Iedereen die een flesje water heeft, wordt in de tussentijd door een dorstige medeloper gevraagd of dat kan worden gedeeld. Als je niet oppast, wordt het uit je handen gegrist. Dan is er het startschot zelf, dat niet wordt afgewacht omdat sommigen menen het al te hebben gehoord. Plotseling zet een meute zich in beweging, de rest holt erachteraan totdat een official knalhard uitroept dat dit het startschot niet was, waarna de antilopen tot rust komen, weer terugdraven richting de start en het hele nerveuze ritueel zich weer van voor af aan aandient. Ik schijn het startschot gemist te hebben, want plotseling rent iedereen weg en is er geen enkele stem die ze tot de orde roept. De eerste vierhonderd meter wordt door de razende meute in één minuut tien afgelegd.

We zouden om tien uur starten. Het is vijf voor tien en ik word ingehaald, of liever gezegd, ik haal de kleuters, jonge meisjes, overijverige heren met overgewicht en een jongen op voetbalklompen die wijlen Abe Lenstra al niet zou hebben gedragen, níét in. Hiermee is deze *kermesse* nog lang niet afgelopen. Zo is er een jongen die zich vanaf het begin heel behoedzaam naast mij manoeuvreert en de eerste kilometers met me deelt. Hij moet een jaar of veertien, vijftien zijn en zijn pas verraadt iets van gracieusheid en talent. Bij de eerste drankpost, op drie kilometer, krijgen we flesjes Sidi Ali aangereikt. Ik drink wat om de kubieke meter stof eruit te gorgelen, drink nog iets en gooi de rest over mijn lichaam zodat het in dertig seconden kan verdampen. Een minuut of twee later voelt het alsof ik nooit iets heb binnengekregen. De jongen is nu verdwenen. Dat is nog niet alles, want links en rechts van mij schieten twee kranige heren voorbij die wel een nat bovenlijf vertonen maar kuiten hebben die zo droog zijn als bakpoeder. Hoe het komt dat ze me zo snel voorbij sprinten en hoe het komt dat de vochtigheid nog geen vat op ze heeft gekregen, kan ik alleen maar rijmen met het feit dat ze ergens in de bosjes hebben staan wachten totdat het hun beurt was. Waarom je in de achterhoede van een wedstrijd nog eer denkt te kunnen behalen, is me onduidelijk. Aan de start waren officials die uit alle macht probeerden blauwe streepjes uit te delen op palmen ten bewijze dat de persoon die gaat finishen ook daadwerkelijk van start is gegaan en niet halverwege heeft besloten in te voegen. Het systeem is natuurlijk zo lek als een mandje, want iedereen kan tegenwoordig een blauwe streep zetten. Deze heerlijke kermesse, waarvan ik vanaf het begin heb besloten me eraan over te geven, ervan te genieten, deze tien kilometer na drie weken van zalig nietsdoen, is nog niet afgelopen, want waar sommigen besluiten pas halverwege te participeren, besluiten anderen gewoon lukraak af te snijden. De mens is een geboren valsspeler die meer genot haalt uit de gedachte de hand te hebben gelicht met de strenge voorschriften dan de voldoening te koesteren over netjes binnen de lijntjes te hebben gelopen. Ze schieten door het weiland, rechts de weg af, voor het oog van de official die langs de weg staat en, ze eenmaal gezien, een miserabele sprint inzet al schreeuwend dat ze moeten stoppen, de onverlaten. Nog niet bekomen van deze verbazing dient zich een volgende aan. Ik zie een natuurfenomeen: een man van ongeveer één meter vijfenzestig met een duidelijk overgewicht (hij moet minstens negentig kilo met zich meezeulen) die er toch duidelijk de mars in lijkt te hebben gezet. Hoe het komt dat deze man zo'n tempo kan vertonen, is me een groot raadsel en een nog groter vraagteken is hoe hij straks die vier kilometer naar boven moet gaan afleggen. Alsof dat nog niet genoeg is, zet hij rond de vier kilometer een prachtige versnelling in.

Bij de tweede drankpost, rond de vijf kilometer, blijkt ook hij te zijn verdwenen, vast en zeker omdat hij zich meer dan tevreden heeft gesteld met de toejuichingen van familie en vrienden langs de kant die hem met goede moed richting de finish willen schreeuwen. Ik verbruik nog een halve liter water, alleen voel ik het verschil niet, al helemaal niet nu de weg snel en scherp begint te stijgen. Recht voor me zie ik een kleine jongedame voortgeduwd worden door een jongen met een petje op en een grote mond. Zijn tanden zijn nog groter, zie ik als ik naderbij kom. Lastig is het om je eigen tempo in te schatten tussen lopers die elke keer wanneer je verschijnt je als een gek beginnen in te halen of proberen aan te klampen zonder de kop over te nemen. Wie durft er niet in de schaduw van een ander te lopen in plaats van het eigen plan te kiezen, de eigen tactiek eer aan te doen of zelfs af te zien van wat voor eergevoel dan ook? Deze jongens dus niet. De winnaar moet inmiddels binnen zijn, praat ik mezelf vol goede moed in en ik moet nog drie kilometer. Hoe iemand op dit parcours onder de 30 kan duiken – niet alleen onder de 30, maar dik onder de 30 – die gedachte beneemt me de adem, en daarom concentreer ik me maar op iets anders. Op de jongen met de grote mond bijvoorbeeld die het meisje naar boven duwt en als dat meisje zich heeft losgemaakt van hem (of ik in zijn gebaar puur altruïsme moet zien of een verkapte Marokkaanse versierpoging laat ik in het midden) met nu niets omhanden mij begint te vertellen hoe ik mijn armen moet gebruiken. Hij is ambulant looptrainer. Zijn gezeik en de persistentie waarmee hij dat doet, zodat de maatjes die om hem heen lijden nu denken dat ze werkelijk te maken hebben met een Hicham el Guerrouj, is zo irritant dat het me prikkelt er een schepje bovenop te doen al weet ik niet zo goed waar ik, toch al lopend op mijn maximum, de kracht vandaan moet halen. Een jongen op tennisschoenen begint langzaam af te takelen. Hij is klein en heeft niet het postuur van de hardloper maar wel de energie van een maniak. Elke keer dat ik hem inhaal, sprint hij me voorbij, komt tot rust, begint weer te joggen en sprint nog een keer zodra ik hem heb gepasseerd. Boven aan het einde van de weg vertoont zich een massa mensen die als gieren naar ons kijken, alsof we elk moment dood kunnen neervallen zodat zij hun kans kunnen wagen. In de wetenschap dat ik in de meest bizarre, meest surrealistische en tegelijkertijd op een prettige manier meest overweldigende wedstrijd zit die ik ooit heb gelopen, help ik mezelf op mentale kracht tandje voor tandje naar boven. Laat de Marokkaanse gieren maar komen! Het is nog vijfhonderd meter en ik denk dat mijn hartslag zo rond de 195 moet zijn, en dat al een tijdje lang. De jongen met de grote tanden en mond sprint me op het rechte stuk weer voorbij, het rechte stuk waar de wedstrijd begon, waar het startdoek hangt – het voelt alweer als een woestijn geleden – voordat je naar rechts afbuigt om op het vrijgemaakte veld de laatste honderd meter af te leggen. De jongen met de grote tanden houdt zijn sprint onder het startdoek voor gezien en duikt naar alle waarschijnlijkheid het eerste het beste café in, want ik zie hem niet meer terug. Ik moet nog honderd meter en haal op het rechte stuk het maniakale mannetje in dat aangespoord door zijn vrienden langs de kant nog aanzet voor een sprint waarin hij het helaas tegen mij, Kipketer, moet afleggen. Bij de prijsuitreiking blijken alle prijzen voor Marokkanen te zijn. Een van de Kenianen van wie zo veel werd verwacht, heeft zich te vroeg in de wedstrijd opgeblazen. Toch kan ik bij hem niet het verschil zien met vóór de race. Zijn zwijgzaamheid, stoïcijnse blik en lange rij tanden die oplichten elke keer als je hem een vraag stelt, waarop hij behalve zijn lach geen antwoord heeft, zijn hetzelfde gebleven. Danny, mijn Nederlandse reisgenoot, is met 35 minuten en nog wat dik tevreden. Mijn tijd is 40.40.

Thomas Rosenboom

Kees de Tippelaar

Kees de Tippelaar (1843-1913) werd bekend als Nederlands eerste afstandswandelaar. Daarna bleef hij bekend, en ten slotte stierf hij, maar niet in de herinnering. Nog ieder jaar wordt zijn geboortedag herdacht met een officiële bloemlegging, aanvankelijk bij zijn graf te Breukelen, later, sinds de oprichting ervan in 1991, bij zijn standbeeld. Nog weer een paar jaar later verscheen er een uitvoerige biografie Een veelzijdig en buitenissig heer door Arie A. Manten en Ties Verkuil Sr, Uitgeverij Verloren, Hilversum 1993.
Een jaarlijkse bloemlegging met gezang en allerhande feestbedrijven, een standbeeld en een recente biografie? Dat is geen nagedachtenis meer, dat is een eerbetoon, meer dan een tijdgenoot als Herman Heijermans of een legende als Faas Wilkes ooit beschoren was. En dat voor een sportman van een eeuw geleden, nota bene een loopsporter? Wie was Kees de Tippelaar?

Léonard Corneille (roepnaam Kees) Dudok de Wit, de latere Kees de Tippelaar, werd geboren in een welgestelde familie van suikerhandelaren. Hoewel niet van adel (de dubbele achternaam verkreeg men eenvoudig door aanhuwing en het betalen van de verschuldigde leges), noch in politiek, cultureel of wetenschappelijk opzicht van enige betekenis, behoorden de Dudok de Wits al sinds enige generaties tot de financiële elite van Amsterdam. Vooral de grootvader van Kees wist de suikermakelaardij tot grote bloei te brengen, maar al vanaf 1700 beschikte de familie over een buitenplaats nabij Breukelen aan de Vecht, genaamd Slangevecht. Deze naam duidt niet alleen op het slangachtige kronkelen van de rivier ter plaatse, maar ook op een kennelijk al oud familietrekje, te weten de woordspeligheid die in Kees een bedwelmend hoogtepunt zal vinden.

Maar eerst, als hij nog maar een paar maanden oud is, sterft zijn vader. Kort daarna verhuist de moeder van Amsterdam naar Slangevecht, waar zij bij de opvoeding van Kees en zijn oudere broer hulp krijgt van een huisonderwijzer, en in de weekeinden vooral ook van de grootvader. Dat was soms ook wel nodig, getuige deze passage uit *L.C. Dudok de Wit oftewel Kees de Tippelaar* van M. Verkuil, een voorloper van de latere biografie: 'Kees was geen gemakkelijk kind. Niet alleen een vrijbuiter, maar ook koppig en eigenzinnig. Wat hij eenmaal in zijn hoofd had, kon je er met geen mogelijkheid uitpraten. Grootvader moest dan ook nog al eens bijspringen, wanneer hij weer eens een van zijn koppige buien had.

Zo was Kees op een dag uit pure baldadigheid midden op de straatweg voor het huis gaan liggen. Hoe de dienstbode en zijn moeder ook riepen en smeekten, Kees hield zich doof en bleef liggen. Ook toen grootvader hem met de zweep een geducht pak slaag gaf, bleef hij roerloos liggen en hij stond niet eerder op dan hij zelf wilde.

Deze eigenzinnigheid en vasthoudendheid kenmerkten in feite ook de rest van zijn leven en waren de eigenschappen, die hem in staat stelden de moeilijkheden en ontberingen te doorstaan waarmee hij op zijn zware wandeltochten werd geconfronteerd.'

Het is verre van mij aan deze karakterisering iets af te doen, maar misschien mag ik er, omgekeerd, nog iets aan toevoegen. Ik bedoel, als iemand zo midden op de weg gaat liggen, omdat hij dat nu eenmaal wil, is dat dan alleen een uiting van eigenzinnigheid, of ook van een onbedwingbare behoefte om op te vallen en het middelpunt van de aandacht te zijn? Kees had toch ook in de grazige berm kunnen gaan liggen, één meter opzij, of gewoon op bed? De afranseling zou ongetwijfeld zijn uitgebleven, maar de consternatie ook, die nu met elke zweepslag juist nog wat groter werd.

En zo groeit Kees op, een echt buitenkind, hij zwerft op zijn pony door de omliggende natuur en voelt zich overwegend blij, al begint hij bij vlagen ook vroege tekenen te vertonen van een aandoening die de zenuwartsen toentertijd melancholie noemden, en de psychiaters van nu manische depressiviteit. Maar dan bereikt hij de leeftijd waarop hij geacht wordt een beroep te kiezen, c.q. zijn loopbaan te beginnen op het makelaarskantoor van zijn grootvader. De gedachte aan werk stuit hem echter zodanig tegen de borst dat zijn melancholische klachten er nog door verergeren. Wanneer hij, zinnend op uitstel, met het mierzoete voorstel komt om, ter voorbereiding op de suikermakelaardij, eerst een reis naar Oost-Indië te maken, met het doel de suikercultuur nader te bestuderen, stemt zijn bezorgde moeder onmiddellijk toe, en kan de machteloze grootvader niet anders meer dan introductiebrieven schrijven in het Maleis, Javaans en Hollands, waarmee de jonge reiziger zich voor een gastvrije ontvangst of zo nodig hulp bij diens zakenrelaties zou kunnen aandienen – nu ja, zo heel erg was het misschien ook niet: sloten andere jongeheren uit de voorname en adellijke families hun jeugd niet ook af met een *grand tour*, al voerde die in hun geval dan eerst naar Parijs en daarna naar Italië, en soms nog naar Caïro of Constantinopel? Maar dan zat je toch ook al een heel eind in het oosten!

Kees Dudok de Wit vertrok, eenentwintig jaar oud, op 20 maart 1865 met het zeilschip *Baltimore* uit Den Helder en slaagde erin zijn wereldreis twee jaar te laten duren. Toen hij terugkwam, was hij nog vastbeslotener nooit in de suikerhandel te zullen gaan en blaakte hij als nooit tevoren. Wat was er gebeurd?

Hij was gelukkig geweest. En hij was Kees de Tippelaar geworden.

Vanuit Celebes en de Molukken, vervolgens vanuit China en Japan, daarna nog vanuit California, Mexico en vanaf de Caribische kust, overal vandaan verstuurde Kees de meest uiteenlopende souvenirs vrachtgoed per kist naar Slangevecht, maar het allerbelangrijkste, het meest bepalende voor de rest van zijn leven wat hij mee terugbracht, dat waren zijn verhalen over zijn voettochten door Celebes en Java, de eerste zo'n vijfhonderd kilometer lang, de tweede, in vier maanden tijds, ruim drieduizend. Deze verhalen maakten hem beroemd, hij wist ermee in de krant te komen, verwierf er zijn bijnaam mee, die hij zijn leven lang met een soort zelfvertedering zou blijven koesteren, ongeveer zoals hij zijn wandeltochten 'tippelingen' noemde, en hij hield zelfs over zijn belevenissen enkele voordrachten in het Amsterdamse Paleis voor Volksvlijt. De intussen afgeleverde aziatica en curiosa zullen daarbij goed van pas zijn gekomen, zo goed dat je de indruk krijgt dat Kees Dudok de Wit ze misschien wel juist daarom heeft opgestuurd. Deze indruk wordt bepaald versterkt door het gegeven dat Kees zich na iedere dagmars onmiddellijk meldde bij de plaatselijke autoriteit, een vorst of dorpsoudste, die hij dan een schriftelijke verklaring van zijn aankomst en vertrek liet opmaken, zodat hij, eenmaal thuis, op zijn praatstoel, van elk traject een certificaat zou kunnen overleggen. Wie zo loopt, doet dat niet alleen om te lopen, maar vooral ook met het oogmerk er later over te kunnen vertellen, om er andere mensen mee te verbluffen en te vermaken, en er, zo mogelijk, beroemd, of beter: zo beroemd mogelijk mee te worden. Eigenlijk deed Kees alles in zijn verdere leven met dat oogmerk – en ja, hij werd er onwaarschijnlijk beroemd mee, vooral toen hij onder het oog van de vaderlandse pers ook nog een 'tippeling' ondernam naar Parijs, en later naar Wenen – niet in zijn eentje overigens, maar in gezelschap van andere lopers; Kees kon niet alleen zijn, tijdens zijn voettochten door Indië is hij ook geen dag alleen geweest, maar liet hij zich begeleiden door een Javaanse jongen, die zijn handkoffertje met bagage droeg. Om met weer iets nieuws te komen had Kees voor zijn Oostenrijkse wandeltocht een zogenaamde podometer aangeschaft, een op het lichaam gedragen apparaat dat de voetstappen telde. De moeite was niet voor niets: toen Kees na zowat twee miljoen passen in Wenen arriveerde, werd hij daar als een held onthaald door een schare supporters en journalisten; de aankomst van 'de nieuwe vliegende Hollander' was voorpaginanieuws; de kranten publiceerden zijn portret en levensloop, ook buitenlandse kranten, en nooit eerder gaf een sporter zo veel interviews – vanaf toen stond het leven van Kees in het teken van de roem, hij was een fenomeen geworden. Maar hoe bestaat dat eigenlijk, een wandelaar, twee 'tippelingen', en dan zo beroemd? Hoe zwaar waren die tochten, hoe groot de sportieve prestaties?

De ruim zeshonderd kilometer naar Parijs legde Dudok de Wit af in iets meer dan negen dagen van dertien wandeluren elk, ruim 122 uur in totaal, wat neerkomt op een gemiddelde snelheid, zeg maar een uitermate gemiddelde snelheid van vijf kilometer per uur. Geen marstempo. Amsterdam – Wenen was 1250 kilometer, afgelegd in iets minder dan 26 dagen van negen loopuren elk. Vermoedelijk door deze kortere loopduur per dag komt de gemiddelde snelheid nu iets hoger uit, 5,6 kilometer per uur. Nog steeds tamelijk gemiddeld, nog steeds geen marstempo, nog steeds geen fysieke prestatie van betekenis, immers: arbeiders van die tijd leverden per werkdag een heel wat zwaardere lichamelijke inspanning, zou ik zeggen, mijnwerkers zelfs in het donker, en fabriekskinderen met onvolgroeide lichamen, en dat dan jaar in jaar uit. Hoe snel het op Java ging, weet ik niet, of eigenlijk toch wel: precies even snel als die jongen die de bagage droeg.

Nee, voor de fysieke prestaties van Dudok de Wit heb je niet zo veel talent nodig, lijkt mij, maar natuurlijk wel veel vrije tijd – en die had hij genoeg, vooral sinds het overlijden van zijn grootvader een jaar na zijn *grand tour*. Zo goed Kees zich bij terugkomst al voelde, nu erft hij een fortuin en is het zeker dat hij nooit meer op de suikermakelaardij zal hoeven werken. Ongeveer met dezelfde vastberadenheid waarmee hij als kind ooit op de straatweg bleef liggen, besluit hij om geen dag van zijn leven meer te werken. Samen met zijn moeder en het aan zijn stand verplichte huispersoneel woont hij in de buitenplaats waarvan hij nu ook eigenaar is, 'heer van Slangevecht'.

Maar wat doet hij dan?

Hij is beroemd.

Maar nu nog een keer: op grond waarvan dan toch?

Wie iets probeert te begrijpen van de enorme roem van Kees de Tippelaar komt niet uit met diens sportprestaties alleen, die zal die prestaties in combinatie, of beter, in contrast moeten zien met de zojuist genoemde maatschappelijke positie van Dudok de Wit, die van vermogend heer. Want wat was daarmee? Een heer van stand sportte niet, en áls hij het deed, dan zonder moe te worden, te zweten of anderszins verlies van decorum: in rijkostuum begaf hij zich te paard, in wielerkostuum op de fiets, in wandelkostuum in het park, en in golfkleding op de golfbaan. Omdat tennissen zonder moe en bezweet te raken onmogelijk is, gebeurde dat achter de hoge heg rond de tennisbaan. Maar nu de heer Dudok de Wit: die wandelde Celebes rond op blote voeten, terwijl hij genoeg geld had om zich in een draagstoel van Manado aan de oostkust tot Kema aan de westkust te laten dragen, en 's avonds liet hij geen bok voor zich slachten maar at hij een bordje rijst met de inlanders, zodat er dagen voorbij gingen dat hij nog geen dubbeltje uitgaf!

Hoe we dat weten?

Van Kees de Tippelaar zelf, die het onvermoeibaar is blijven vertellen aan zijn bewonderaars: zó kostelijk vond hij het van zichzelf, zoals hij alle standverplichtingen toen al aan zijn laars lapte – nadien, als heer van Slangevecht, deed hij niet anders meer, het werd zijn imago, zijn identiteit, en het lag ten grondslag aan al die grappen die hij begon uit te halen waar, volgens de biografie, de mensen in Breukelen nog steeds niet over zijn uitgepraat.

Een vrijgevochten man met lak aan conventies, zou je kunnen zeggen. Maar je zou ook kunnen zeggen: een vrijgesteld man, zich uitermate bewust van conventies, juist om die te allen tijde te kunnen doorbreken tot verder bewijs van het eigen non-conformisme.

De eerste prentbriefkaart verscheen in 1883, uitgegeven door een Duitse firma met een afbeelding van de Wereldtentoonstelling erop. Het gebruik van de kleine schrijfruimte ontsloeg de afzender van de zware correspondentie-etiquette, noopte tot kortheid en afkortingen, en nam om deze redenen in korte tijd enorm toe. Rond de eeuwwisseling was het elkaar toesturen van een ansicht dé nieuwe rage geworden (bij wijze van antwoord krabbelde men vaak een geestig commentaar op de ontvangen kaart en zond die dan zo weer terug), en het is precies door deze rage dat Kees de Tippelaar zijn roem tot nog veel grotere hoogte heeft kunnen uitbouwen.

Door de vele krantenartikelen was hij zo bekend geworden dat mensen uit het hele land hem begonnen te schrijven, eerst nog brieven, maar omdat hij die steevast en per ommegaande met een ansichtkaart beantwoordde, kreeg hij na verloop van tijd alleen nog maar ansichtkaarten, steeds meer, soms honderden per dag, met als adressering vaak niet meer dan zijn naam, of een rebus, zoiets als *Utrecht * Amsterdam*, omdat daartussenin ongeveer Breukelen lag. Het werd een soort spel met het postbedrijf, dat er zijnerzijds ook aardigheid in kreeg en als een heel spektakel de volle zakken bij de beroemde Vechtbewoner afleverde. Een nog groter schouwspel was het als Kees, die de correspondentie 's nachts beantwoordde, de volgende ochtend met een vergelijkbare zak over de schouder naar het postkantoor te Breukelen liep, zo'n twee kilometer verder. Wat een enorme correspondentie, en dat Kees die zak zelf afleverde in plaats van een huisbediende te sturen, zoals iedere andere heer zou hebben gedaan… hij kon het tippelen zeker niet laten!

Tachtig jaar voor U2 (*you too*) en XTC (ecstasy) in verkortende vorm werd gespeld, bediende Dudok de Wit zich van schrijfwijzen als 'vann8' (vannacht) of 'hij 4t zijn feest pr8ig' (hij viert zijn feest prachtig). Tot slot ondertekende hij elke kaart met zijn naam en domicilie, maar dan ook weer grappig, met telkens nieuwe verwijzingen naar een eigenaardigheid van Slangevecht (het ooievaarsnest, de onuitputtelijke drankvoorraden) en zijn eigen eigenaardigheden, zoals zijn gewoonte om het hele jaar rond, ook 's winters, elke ochtend een duik in de Vecht nemen. Zo komt hij tot ondertekeningen als 'Uw toege9 Vechtbrasem' (dan wel 'Slingeraap' of 'Ik-heb-zo'n-lol'), Huize Zwemlust, Villa Langpoot, en, via Villa Wandellust, Huize Omgaand Antwoordlust en Villa Oude Klare Lust. De ansichtkaarten van Kees Dudok de Wit, die hij zelf liet drukken met een foto van zichzelf voorop, werden gezochte verzamelobjecten. Zo bleef de correspondentie groeien, en bleef Kees Dudok de Wit die gebruiken om zichzelf te amuseren, te identificeren en bovenal te mystificeren. O ja, nog een geliefde bijnaam voor zichzelf: 'Het mirakel van de Vecht'.

En toen begonnen de bewonderaars hem ook thuis te bezoeken. Voor Kees werd het ontvangen een dagtaak, spoedig ontving hij een ochtendgroep en middaggroep, waar hij zich, ofschoon zonder professie, van kweet. Om de mensen maar te vermaken en te verbluffen kocht hij alles wat daar maar bij helpen kon: een grammofoon ('Iedereen vergaapt zich aan mijn Edison en reus8ige platencollectie,' schrijft hij aan een bewonderaar), een eierkoker waar ook muziek uit kwam, een beeld van de Amerikaanse president Grant, die een sigaar kon roken en dikke rookwolken de kamer in blies, en voorts een stel afgedankte wassenbeelden van het wassenbeeldenmuseum in Amsterdam. Voor zijn collectie reissouvenirs werd er een speciaal bijgebouw opgetrokken, het Museum voor land- en volkenkunde, en om de gezelschappen die per stoomboot kwamen al dadelijk in de juiste stemming te brengen, liet hij bovendien een speciale aanlegsteiger maken in de vorm van een balkon, met daarop zijn naam en adres in rebus: links een keeshond met een witte D (Kees de Wit), in het midden twee vechtende slangen (Slangevecht), en rechts 3/4 L N (Breukelen).

Dadelijk in de vestibule, waar een apenstaart hing, begon hij al met toelichten: 'Kijk, die was van een rode aap die ik op Java uit een boom heb geschoten.' Daarna kwamen zijn beroemde sloffen aan de beurt, het eenvoudige schoeisel van zijn 'tippelingen', en liet hij zijn al even eenvoudige, oude canapé zien, – nee, een normaal bed had hij niet, nooit gehad ook! Als het paard toevallig voor het open raam stond, zette hij die vlug even een bolhoed op, waarna het verder ging, het hele huis door, daarna naar het museum, net zolang tot de fors gebouwde huishoudster Ant de tafel had gedekt en de glazen inschonk. Om weer een nieuwe lach te krijgen duidde hij haar op een onbewaakt moment als nijlpaard aan – de bezoekers konden hun oren niet geloven: wanneer een arbeider nu zoiets deed, maar hij, de heer van Slangevecht, dat was werkelijk onconventioneel! En dan die oude plunje, dat strohoedje en die halsdoek – nee, geen wonder dat hij zichzelf ook wel Kees de Bedelaar noemde! Na het eten trok Kees snel een zwempak aan en sprong hij voor de fototoestellen plompverloren in de Vecht, zomaar, omdat hij daar ineens zin in had. Nee, van de reputatie van Kees was niets gelogen, en weer thuis hadden de gasten heel wat te vertellen, bijvoorbeeld over de grappen van Kees die hij hun tijdens het bezoek heel terloops zelf had verteld. Het repertoire was beperkt, maar omdat het publiek steeds anders was, gaf dat niets. Nee, zoals hij het tippelen niet kon laten, zo bakte hij ook de ene poets na de andere, en als een kostelijke snakerij heel wat voorbereiding vergde, nu, dan had hij het er graag voor over.

Een paar voorbeelden.

Een rietsnijder uit de buurt legt zijn veldfles met thee ter verkoeling in een sloot. Kees sluipt erheen, giet de veldfles leeg en vult hem vervolgens met slootwater. Zoals die man keek bij de eerste slok! Kees komt uit de dekking, legt het uit, en samen hebben ze er flink om gelachen.

Kees staat met een van zijn keurig aangeklede wassenbeelden op de oever. Er komt een boot met volk langs. Kees duwt de pop in het water, duikt er zelf achteraan, en roept om hulp voor de drenkeling. Het schip draait bij, er wordt een reddingsboei uitgeworpen, en wat blijkt dan?

Kees heeft een dikke, holle wandelstok laten maken met een glazen reservoir dat hij vult met cognac. Hij begeeft zich ermee op de weg, schiet een wandelaar aan, vraagt waar hij cognac kan bestellen. Als de wandelaar volhoudt dat dat nergens in de buurt mogelijk is, zegt Kees: 'Nu, dan moet ik de cognac maar zelf tevoorschijn toveren.' Waarop hij twee glaasjes volschenkt uit zijn wandelstok en de wandelaar er een van aanbiedt. Zo verbouwereerd als die keek, net de rietsnijder – hartelijk lachend en daarna pratend bleef Kees de man op zijn verdere wandeling gezelschap houden.

De laatste. Om zijn terras op een uitspanning te laten lijken, zet Kees twee van zijn wassenbeelden neer aan een tafeltje in de hoek, en ja hoor: een echtpaar op de fiets gaat aan een ander tafeltje zitten. Kees schiet tevoorschijn met een theedoek over de schouder, hij neemt de bestelling op en brengt de drank. Na de tweede consumptie wil het echtpaar afrekenen, wat Kees weigert. 'Maar... bent u gek?' roept de man vol ongeloof.

'Nee,' zegt Kees, 'ik ben de heer van Slangevecht!'

Het zijn zulke verhalen die hij eindeloos blijft vertellen, en op den duur gelooft hij dat de mensen ze ook aan elkaar blijven vertellen.

Zo wordt hij ouder, maar nooit volwassen. Hij drinkt veel, en op een avond gaat hij aangeschoten onderuit op de straatweg bij de naburige melkfabriek Insulinde. Onderwijl blijft hij volledig leven voor zijn publiek, als een kunstenaar, en noemt hij zichzelf bij zijn voornaam net zoals hij denkt dat anderen dat voortdurend doen: 'Kees is weer thuis!' heet het na een korte afwezigheid op een prentbriefkaart. En zo graag en gretig als hij zich voor de mensen binnenstebuiten blijft keren, als een schooljongen zijn broekzak; en zo graag als hij zich in zijn zwembroek vertoonde, of in zijn ondergoed, het was een verlangen waaruit hij zijn meest typerende ansichtkaart ontwierp: hij laat zich fotograferen als hij in zijn hemd voor de spiegel zit en zich scheert, oftewel toilet maakt. Intiemer beeld is ondenkbaar, en wat er nog bijkomt: hij staat er niet met één gezicht op, maar met twee, ook een gezicht in de spiegel!

Als zijn moeder sterft, is hij nog steeds ongetrouwd. Zou je met zo iemand überhaupt bevriend kunnen zijn?

Wat opvalt, is dat Kees met iedereen omgaat, behalve met mensen van zijn eigen stand en leeftijd, ze moesten van eenvoudiger komaf zijn, en jonger, liefst allebei – de veel jongere jurist Franz Engelmann is zo iemand, aan hem schrijft Kees veruit zijn meeste ansichtkaarten, over vele jaren, het is een omvangrijke correspondentie van over en weer prompt beantwoorde berichten – maar vriendschap?

Engelmann schrijft dat hij veertig kilometer heeft gefietst.

Kees antwoordt dat hij die afstand makkelijk loopt.

Engelmann schrijft dat er voor zijn deur een vrouw op straat is neergevallen. Kees stuurt het kaartje terug met als enig commentaar: 'Ik d8 aan Kees bij Insulinde.'

'Kees bij Insulinde' – hij is nu zo ver dat hij gelooft dat elke beweging van hem onmiddellijk deel uitmaakt van het collectieve geheugen, zijn levensweg komt hem voor als een reeks staties die iedereen kent en waar hij derhalve ook zelf naar kan verwijzen: 'Kees bij Insulinde'.

Vriendschap – één poging heeft Dudok de Wit ertoe gewaagd, te tragisch onbeholpen om niet na te vertellen: hij kon het weer niet laten om die in te kleden als grap.

Hij had juist een nieuwe zenuwarts gekregen. Om nader kennis te maken besloot hij die eens thuis op te zoeken. In zijn oudste bedelplunje belde hij onaangekondigd aan. De dokter deed open; Kees keek naar zijn vuile jasje, stamelde bedremmeld dat hij zo de doktersvrouw niet onder ogen kon komen en liep onmiddellijk weer weg. Maar pal om de hoek had hij zijn rijtuig neergezet, waarin hij zich razendsnel verkleedde. Binnen een minuut belde hij opnieuw aan; de dokter deed weer open; nu stond Kees piekfijn in het pak hem toe te lachen. De visite moet uitermate stroef zijn geweest, het echtpaar had geen mens maar Kees de Tippelaar op bezoek. Van vriendschap is het nooit gekomen.

Mensen met wie Kees ook niet omgaat, die hij integendeel angstvallig mijdt, dat zijn echte bohémiens en kunstenaars, behalve de Rotterdamse toneelgroep van volksdichter J.H. Speenhoff. Wanneer deze, in vervolg op een eerdere eenakter over Kees, nu een toneelstuk in drie bedrijven over hetzelfde onderwerp voorbereidt, bezoekt hij hem op Slangevecht. De structuur staat al zo goed als vast, en opgetogen schrijft Kees aan Engelmann: 'Speenhoff is bezig aan 1 toneelspel, waarvan ik de Hoofdpersoon ben; wat 1 lol! Het 1e bedrijf speelt in de avond als ik 1ige gasten uit de stad verw8; 2e bedrijf stelt 1 feestje voor; het slot is 1 afscheidstoneel, waarin ik 1 grote voetreis ga maken.' Om redenen die misschien wel, maar misschien ook niet met dit onderwerp en deze structuur te maken hebben gaat het stuk niet door; Kees doet Speenhoff voortaan af als 'de toneelkapper', verheugt zich erop dat er een sigaar naar hem wordt vernoemd, en gaat onverminderd voort met vrolijkheid verspreiden: verkleed als Dajakker ontvangt hij een hele lagere school compleet met onderwijzeressen; een amateurfotografenvereniging komt hulde brengen, net zoals ieder jaar, op uitnodiging, de mannen van de postafdeling Utrecht, die nog altijd de meest cryptische adresseringen weten te ontcijferen. Grote feesten organiseerde Dudok de Wit ook, op Slangevecht, met spelen voor de jeugd (biggenvangen –

maar Kees had ze ingesmeerd met reuzel!), en ook organiseerde hij graag culturele feestavonden in een nabijgelegen hotel, waarvan de opbrengst ten goede kwam aan 'eenige der behoeftigsten huisgezinnen dezer gemeente', aldus een programma uit 1900. De toneeluitvoering, blijkens een andere regel, stond 'onder de hooge bescherming van den Weled. Hooggeb. Heer L.C. Dudok de Wit', maar wie er nu bedoeld werd in die geheimzinnige regel daaronder: 'Muziek belangeloos aangeboden door den Heer X...'? Het zou toch niet... ja, wie anders!

Dudok de Wit gaf zijn geld, waarvoor hij nooit iets had hoeven doen, gemakkelijk uit, en zeker ook wel weg, als weldoener voor velen. Op zijn verjaardagen liet hij poffertjes uitdelen aan de dorpskinderen van Breukelen, en ieder jaar ook maakte hij met een van de eenvoudige dorpelingen een reisje naar Londen, waar hij de bakker, slager of zoon van de hoefsmid trakteerde op de meest mondaine luxe. Maar terwijl hij zo, op zijn manier, werkte aan een betere wereld, was hij tegelijkertijd bang voor een andere wereld, waarin bevoordeelde mensen zoals hij misschien wel helemaal niet meer mochten bestaan. Zo apolitiek als hij was, in een plotselinge angstvlaag meldde hij zich als lid aan bij de Oranjebond van Orde. Deze bond had als doel om het lot van arbeiders te verbeteren, maar dan niet om het lot van arbeiders te verbeteren, maar om te voorkomen dat ze oproerig werden, anders gezegd: om het socialisme het gras voor de voeten weg te maaien. Arbeiders mochten gratis lid worden, maar maakten van die mogelijkheid weinig gebruik. Lang heeft de Oranjebond van Orde niet bestaan. De enige afdeling was de afdeling Utrecht.

Ten slotte zou Dudok de Wit ongetrouwd sterven. In de biografie wordt, zonder een concrete aanwijzing, gesteld dat hij homoseksueel was, maar zou hij niet aseksueel kunnen zijn geweest? Zeker wilde hij bemind worden, feitelijk was dat het enige wat hij wilde, maar nooit als man, maar als een vertederend, ondeugend kind, en nooit door een individu, maar door vreemden, liefst groepen. Wat zou hij graag op de televisie zijn geweest, als die toen had bestaan, ja, in *Big Brother*, en dan de hele dag, en zonder medebewoners – door de mensen in zulke grote aantallen in zijn huis te halen leefde hij inderdaad als voor een camera, en er was niets dat hij niet wilde geven of laten zien.

Een zo dwangmatige blijmoedigheid als die van Dudok de Wit ben ik nooit ergens anders tegengekomen, behalve bij de Zwitserse schrijver Robert Walser. Deze tijdgenoot leed ook aan 'melancholie', en ook hij maakte zeer lange, meerdaagse wandelingen, maar dan door de bergen, en zonder te rusten, en zonder erover te praten. De laatste tien jaar van zijn leven, zonder de kracht om zich nog tegen zijn aandoening te kunnen verweren, bracht Walser door in een psychiatrische inrichting. Toen stierf hij, precies op de manier waarop hij in die merkwaardig weeë roman *Geschwister Tanner* zijn broer liet sterven, tijdens een wandeling door het gebergte, alleen, 's nachts, bevriezend onder de sneeuw.

De dood van Dudok de Wit was niet veel anders. Ook hij bracht de laatste jaren van zijn leven door in afzondering van het gewone leven, binnen, slechts nog in het gezelschap van zijn huishoudster, een nieuwe, want Ant was al dood. De gedachte niet meer bemind te zijn moet hem tot het laatst hebben gekweld: om dat te voorkomen bepaalde hij per testament een bedrag waarvan de Breukelense schoolkinderen elk jaar op zijn verjaardag op poffertjes getrakteerd moesten worden. Het was de kiem van de jaarlijkse herdenking, later de bloemlegging, het standbeeld en de biografie.

Wanda Reisel

Hardlopen is een harddrug

Ik hou helemaal niet van hardlopen.

Je hebt 'lopers' en 'liggers'. Ik behoor tot het type 'ligger'. Ik ken veel liggers die graag lang een boek lezen in de beslotenheid van hun slaapkamer, als iedereen uit huis is vertrokken. Die leegte als een met water gevulde ballon waarin je rond deint. Ik heb eens een keer het summum van een ligger en een deiner gezien: het was een oudere vrouw. Ze lag op een laag tweepersoonsbed en haar lichaam was als een met zwaar water gevulde ballon, haar lichaam vloeide uit naar de randen van het bed, een 'blob'.

Ik geloof dat het toen is begonnen.

Ik weet dat je met de menselijke geest veel kanten op kan, maar ik wist niet dat het menselijk lichaam zo rekbaar was. Ik wist niet dat een mens zo immens kon worden. De mens is wel het wonderlijkste dier onder de zon. Er zijn ook dikke dieren, maar een 'blob' heb je er niet onder. Die sterven vanzelf uit. Om de een of andere onduidelijke reden vereenzelvigde ik me met de vrouw (die ik vanaf nu dan maar 'de blob' zal noemen, omdat 'de vrouw die naar alle kanten uitvloeide' veel mooier maar te lang is), al was het maar als schrikbeeld.

Ik voldoe geloof ik aan de omschrijving die mensen 'volslank' plegen te noemen. Ik zeg zelf 'mollig', maar het eufemistische 'volslank' klinkt mij ook beter in de oren. Ik ben een 'nascher', ik snack graag, een likje pindakaas, een harinkje, een lepeltje krabsalade op toast. Ik moet wel zeggen dat ik dat meestal niet doe. Meestal houd ik me aan sla, kipfilet met groenten en magere yoghurt. Maar die verboden vruchten blijven aan je trekken, hè. Ik ben ook nog eens een ex-roker en ik heb altijd gedacht dat ik voor eeuwig zou blijven denken aan die verzengende trek in sigaretten, die lekkere eerste haal, want zo denkt een verslaafde... maar nee, ik ben het roken gewoon vergeten. De sigaret is uit mijn trekcentrum gewist. De zin in krabsalade, salami en boerenkaas heb ik nooit systematisch bestreden, er is nooit een verbod over uitgevaardigd door mijn van hogerhand aangestuurde inwendige dieetpolitie, omdat ik die dingen af en toe best mag van mezelf. Dan werkt het niet. Dan is er geen verbod. En geen verbod, dan is er ook niks gewist.

Het lichaam is als een wild dier: eenmaal gevangen kun je het temmen. Je kunt het van alles opleggen, je kunt het misvormen en omvormen. Kijk maar naar anorectische meisjes en jongens. De geest is een belangrijke bondgenoot. De geest is de cipier van het lichaam. Het lichaam zelf kan signalen afgeven wat het wil, de geest rammelt met de sleutels van de kooi en heeft de macht om de deur te openen of dicht te laten. De strenge geest kan de toevoer van eten bepalen. Hij is de temmer. Hij is de *boss*. Hij bezit een zeker sadistisch genoegen, de geest. Punt is dat hij weet dat hij in een *catch-22* zit, dat hij, net als een parasiet, afhankelijk is van het lichaam van zijn gastheer en dat hij sterker wordt naarmate het lichaam meer wordt getraind. Het risico dat het lichaam een 'blob' wordt, is te wijten aan een slappe cipier. *Mens sana in corpore sano*? Ga weg! Een ziekelijke afhankelijkheid tussen die twee! Opponenten. Bloeddorst. Vijanden. Niks een gezonde geest in een gezond lichaam. Het zou betekenen dat alle dikke mensen niet goed bij hun hoofd zijn. Het enige wat je van dikke mensen kunt zeggen, is dat ze een slappe maar humane cipier hebben, zo eentje met een zacht plekje, een die zich wat kan voorstellen bij genot, eentje die een warm hart krijgt bij het zien van een gelukkig mens die met gesloten ogen intens kan genieten van een vette punt boterkoek of een reep pure chocola, de lieverd... Maar goed, weg met die weekheid! De onderlinge afhankelijkheid van lichaam en geest lijkt meer op een zoon die te lang bij zijn moeder is blijven wonen, die van de dagelijkse portie eten die zij hem voorzet net zo afhankelijk is als vroeger van haar volleborstenmelk. Een zoon die te lang bij zijn moeder woont, wil ook haar borsten, hij wil zijn wang ertegenaan vlijen en opgaan in de volledige zachtheid en de bescherming van haar even vlezige omarming. Het lichaam, de zoon, wordt gekoesterd door de geest, de wijze, invoelende, meelijdende moeder. Zij voelt zijn smart als de hare, want waren zij niet in de zwangerschap ooit één? De moeder en de zoon, de man en de vrouw, het lichaam en de geest.

Maar ik ben te ver afgedreven van de zaak, zoals zo vaak gebeurt als men op een mooie zonnige middag in een bootje ligt te mijmeren, en zo heerlijk op de rug de blik op de wolken gericht houdt in plaats van op het water. Liggers zijn dromers.

Er zijn een paar prikkelingen geweest om van ligger loper te worden. Ten eerste dus het schrikbeeld van 'de blob'. Ten tweede leid ik naast een liggend ook een zittend leven achter een bureau en dat brengt tal van complicaties met zich mee, voornamelijk verstijvingen en knellingen op plekken waar dat niet de bedoeling is. Verder zocht ik stof. Ik zat al tijden vast, met mijn artistieke werk kwam ik niet vooruit, dus ik dacht in termen van '*radical change*', niet alleen een paar keer een baantje trekken in het water of een partijtje squash, dat hield ik niet vol.

Toen is het gebeurd.

Niet ver van mijn huis ligt een park. Ik wist wel van dat park maar kende het niet, niet van binnenuit. Dit nu ging radicaal veranderen. Soms moet er een schuif in je geest worden opengeschoven, die schuif blijkt vast te zitten aan een oud en roestig luik dat ineens vals piepend openzwaait en, o wonder, nooit van je leven had je dit verwacht, dit uitzicht, die aanblik, nooit had je het landschap van je geest zo gezien. En nu weet ik ook dat het pakhuis van de geest vol zit met dergelijke, wie weet ontelbare, luiken. Gewoonlijk bevinden wij ons op de stoffige zolder van onze geest, waar een ontbrekend dakpannetje zonlicht binnenlaat en mooi spinrag aanlicht en ook wel een sereen gevoel geeft, ergens tussen borstbeen en hart, maar toch, er ontbreekt wat. En ook heb je je allang neergelegd bij het menselijk tekort en het onvervuld verlangen, de krakende planken van de zolder van je geest zijn je vertrouwd geworden, je hebt je er zo goed en zo kwaad als het ging genesteld en, echt, het beviel je best. Maar nu, nu je hebt zitten morrelen aan de schuifwanden van je geest, tja, nu werd je ineens nieuwsgierig. Had je echt al die tijd in je eigen beperking opgesloten gezeten? Als Kaspar Hauser, die opgevoed door een wolf niet wist dat hij een denkend mens was, niet wist dat er meer wereld was buiten de varkensstal van zijn jeugd?

Ik begon te rennen. Mijn man noemt mij Frau Holle. Want dat is wat ik doe, hollen. Andere mensen lopen hard, met de tred van een lynx, met een ijzeren blik, met een bewonderenswaardige strakke concentratie. Terwijl ik alleen maar voorthol, ik kom vooruit, ik beweeg, maar volgens mij is er weinig sierlijks aan. IJdelheid valt voor mij dus af als voortdrijvende factor. Toen ik ging rennen, begon ik als een eenling op een onbekende ijsvlakte, de damp sloeg van mij af en alles om mij heen was wit.

Het park waarin ik hol, is van een ontroerende schoonheid. Het lijkt wel een of andere paleistuin, de vele kleuren groen zijn ontelbaar, de bomen statig, nijgend of uitnodigend. De grasvelden zijn, zoals dat hoort, grazig. De dieren, de reigers, de kauwtjes, de duiven, eenden, zwanen, eksters, soms een konijn, lopen er relaxed rond, voor niets beducht. Het water van de koninklijke, ovale vijver is zoals vijvers moeten zijn.

Als de zon schijnt, is alles lyrisch in het kwadraat. Of het de opiaten zijn die door het rennen loskomen of mijn op hol geslagen verbeelding, altijd als ik hetzelfde open stuk grasveld passeer waar de zon vlak schuin op staat, overvalt mij het *Blow-Up* gevoel: in de film *Blow-Up* van Antonioni ziet fotograaf David Hemmings in een park een wat oudere man en een vrouw, Vanessa Redgrave, een beetje dollend met elkaar flirten en vrijen. Hij maakt er, professionele voyeur die hij is, verdekt opgesteld, foto's van. Het paar verdwijnt half in de bosjes. Je voelt de frustratie van de fotograaf die zijn onderwerp kwijt is, maar dan gebeurt het: de vrouw komt na even tevoorschijn, loopt weg van de man die nu ook weer te zien is, er spreekt een bepaalde paniek uit hun bewegingen, de fotograaf klikt, klikt het plotselinge en vreemde uiteengaan in fases. Daarna, in de beslotenheid van zijn doka, drukt hij de foto's af, de vrouw staat er dramatisch op. Iets fascineert hem mateloos aan die foto. De uitdrukking op haar gezicht, haar bewegingen? En dan ontdekt hij het: in de bosjes op de achtergrond ligt iets. Daar begint de *Blow-Up*, het opblazen van dat detail van de foto. Vergroting na vergroting. Het blijkt een figuur, een lijk.

Zo herinner ik me het. Het leuke is dat anderen het zich net iets anders herinneren. Dit is het *Blow-up*gevoel. En dat is wat mij telkens weer gedurende mijn holletje op die plek bevangt, een gevoel van unheimische en mysterieuze dramatiek. De bomen ruisen.

Net als ik 's ochtends vroeg een tijdje op weg ben in deze paradijselijke tuin met zijn serene rust, ver weg van de alleen maar lelijkheid spugende wereld van het radiojournaal, zo na een kwartiertje hollen, hoor ik voetstappen en gehijg achter me. Die zijn niet van een medeholler maar van een van de alcoholisten die altijd zo vroeg al op het bankje bij de ingang van het park hun literblikken bier drinken, hij zal me zo bespringen en zet dan een kettingzaag in m'n been. Een debiel uit zijn ogen kijkende hondenbaas stuurt een kwijlende mastino op me af. In de bosjes langs de meer donkere paadjes houdt zich een ADHD-junkie op met een idiote grijns op zijn gezicht en een koevoet in zijn mouw... Het ene filmidee na het andere komt voor mijn geestesoog. Het rare is dat ik onder het hollen niet één keer aan mijn lichaam denk, ik ben vooral hersens als ik ren, of idee, of woord. Elke renner weet het: rennend wordt het vlees woord.

In het speeltuintje dat ik altijd passeer, is vandaag een nieuwe attractie te zien: een houten staketsel met drie klimtouwen die een meter of twee boven de grond hangen. Hoe de kinderen daar zelf in moeten komen, is een raadsel. Misschien dat ik daardoor het dampige lijk al zie bungelen die de waanzinnige junk die mistige ochtend aan de middelste van de drie klimtouwen heeft opgeknoopt – *All work and no play makes Jack a dull boy.* Het lichaam wiegt zacht heen en weer in een briesje. Ik snuif de geur van natte turf op die overal in de speeltuin op de bodem ligt. Een voorwereldse reiger klapwiekt boven me met een flinke tak in zijn snavel. Ik hol voort.

Achter me hoor ik naderende voetstappen, gepraat van twee jongens, mannen, ze lachen, ik vang op: 'Voor een tientje?' Ik ren rustig door, het lachende gekwebbel komt naderbij, de jongens zijn me net gepasseerd, dan ineens trekt de ene al hollend met twee duimen zijn trainingsbroek naar beneden. Ik kijk enkele ogenblikken tegen een paar perfecte jongensbillen aan. Ze joelen, hij trekt de boel weer op en ze hollen zonder omkijken verder. Na een nanoseconde te hebben geïncasseerd wat ik precies zag, zet ik mijn vingers aan mijn mond, haal diep adem en fluit naar de billenjongen, met het plezier van de eerste de beste bouwvakker.

Prachtige, heerlijke billen.

Straks, in het meer bossige gedeelte, staan ze me *pants down* op te wachten en seksen we in één moeite door met z'n drieën een minuut of vijf in een perfect stomend ritme en dan, hup, ieder zijns weegs.

Ik weet het nu zeker, hardlopen veroorzaakt de luciditeit van de vervoering, de trip. Je ziet allerlei dingen die er niet zijn. Pas onder de douche, de radio aan, word je wakker in het gewone leven. Zoals met zoveel dingen in het leven is het niet wat het lijkt. Hardlopen is geen sport, het is een harddrug. Het enige wat je hoeft te doen is je loopschoenen aantrekken, de deur uit, je droom in.

Kees Kooman

Yiannis Kouros: sterker dan de dood

De Griek Yiannis Kouros is de enige mens ter wereld die in staat is om binnen 24 uur aan één stuk door zeven marathons te lopen met een gemiddelde snelheid van ruim 12,5 kilometer per uur. In een stadsmarathon zou hij met dat tempo het overgrote deel van de deelnemers achter zich houden. Yiannis Kouros (48), in het bezit van 43 wereldrecords, heeft de gave om op zichzelf neer te kunnen kijken. Maar dat dan in de meest letterlijke betekenis.

De bewering dat verdriet of armoede (het liefst beide) de beste voedingsbodem is voor legendarisch hardlopen, gaat zeker op voor Yiannis Kouros, een op het eerste oog gewone Griek met een snorretje, tot het moment waarop hij zijn mond opendoet. Ultralopers, misschien wel de nuchterste sportlieden ter wereld, kussen de grond waarop hij loopt. Ze spreken zijn naam in één adem uit met die van de onsterfelijke ijlbode Pheidippides, de Griek die in 490 v. Chr. met de tijd duelleerde om oorlogsberichten over te brengen. Niet te paard of per fiets, maar zoals moeder natuur het heeft bedoeld: te voet. Kouros, in het dagelijks leven een vriend van de twijfel, weet één ding zeker: zijn roemruchte landgenoot beschikte, net als hij, over een geest die kan heersen over het lichaam. Het moet haast wel iets te maken hebben met een jeugd vol ontbering, liefdeloosheid en overlevingsdrang.

Yiannis Kouros zegt zich sterk verwant te voelen met de ijlbode die, alleen al door de tijdgeest moet zijn gehard en dankzij geschiedschrijver Herodotus ontsnapte aan de vergetelheid, het lot van de meeste rechtschapen burgers. 'Ik maak optimaal gebruik van psychologische krachten en ik loop, in wedstrijden, heroïsch.'

Hij vertelt dit laatste zonder een spier van zijn gezicht te vertrekken. De moderne boodschapper die pas na 24 uur goed op gang komt, bedoelt ermee te zeggen dat hij over het vermogen beschikt om uit onvermoede hoeken van zijn geest de krachten bij elkaar te schrapen die de alarmsignalen van pijn en overgave automatisch uitschakelen en dat het een aangeboren gave is. Niets aan te doen en vooral ook niet lang bij stilstaan alstublieft.

'Ik heb tijdens een zesdaagse meegemaakt dat ik mezelf van bovenaf zag lopen, zo ver was ik heen. Die momenten kun je alleen maar teweegbrengen bij pure uitputting. Daarom zeg ik ook dat echt ultralopen pas begint na 24 uur en, liever nog, na 48 uur.'

Alleen al om creatieve redenen vindt hij het fijn om over deze capaciteit te beschikken.

'Het heeft met vooruitgang en scheppen te maken. Personen die bewegen, gaan letterlijk en figuurlijk vooruit. In de duisternis van de uitputting vind je het licht, en díe energie zorgt weer voor inspiratie. Ultralopen is wel degelijk een vorm van kunst, al zullen weinig mensen het beseffen. In onze huidige maatschappij wordt een dergelijke mate van inspanning natuurlijk niet zo gezien. Daarom zou ik liever willen uitblinken als muzikant, schilder of schrijver. Het heeft niet met erkenning te maken, maar met inspiratie. Ik wil mensen graag inspireren. Dankzij mijn lopen wordt de muziek mooier en het schrijven beter – dat is zeker waar. Dus eigenlijk inspireer ik hen toch.'

Kom bij hem niet aan met masochisme of zelfkastijding, in menige spreekkamer van psychiater of psycholoog een aantrekkelijke uitleg voor een traumatische jeugd. Kouros, geboren in Tripoli, werd al als baby door zijn vader, een hardwerkende timmerman, verstoten omdat deze in de overtuiging verkeerde dat de jongen 'zijn tweede zoon' niet door hem was verwekt. Hij keek dientengevolge geen moment meer naar hem om. Maar als Yiannis de vijftig nadert, worden de twijfels uit de weg geruimd. Hij gaat met de dag meer op zijn vader lijken, meer nog dan zijn vier broers. De afwijzing heeft hij verwerkt en hij heeft het zijn vader vergeven, die negen jaar geleden stierf maar nog heeft meegemaakt dat het minste kind furore maakte in de kunst van het ultralopen.

'Vanaf de dag dat ik hem heb vergeven – op mijn twintigste – was ik in staat om van hem te houden.'

Dat laatste kan hij met de beste wil niet zeggen van zijn moeder, een vrouw die hij nog steeds verwijt het vuur van de ontkenning te hebben aangewakkerd. Pas na enig aandringen wil hij uitleggen waarom.

'Laten we ervan uitgaan dat mijn vader een halve idioot was wanneer hij na een dag hard werken thuiskwam. Maar waarom heeft zij niet geprobeerd mij liefde te geven, al was het maar een beetje? Ze heeft nog ergere dingen gedaan, later, in overleg met mijn broers. Alles wat mijn vader heeft opgebouwd, heeft ze cadeau gedaan aan de anderen. Ik heb acht contracten gezien van transacties waarvan ik bewust was buitengesloten. Op de betreffende papieren kwam een kruisje voor die de handtekening van mijn vader moest voorstellen, terwijl hij wel degelijk over een authentieke handtekening beschikte.'

Voor Yiannis Kouros, die gewend was geraakt aan de onvriendelijke relatie met zijn vier broers, waren de onderhavige contracten aanleiding om de laatste familiecontacten te verbreken. Achteraf prijst hij zich gelukkig met de rol van buitenbeentje.

'Mijn broers zijn lui, ze werken niet, ze roken, ze zitten de hele dag in het café en ze teren op mijn moeders geld. Terwijl we toch over dezelfde genen beschikken, heb ik niets met ze gemeen.'

Die contrasterende persoonlijkheid dankt hij aan zijn opvoeding door zijn grootouders die op het platteland woonden in een dorp nabij Tripoli, ver van de verleidingen van de grote stad. Het woord liefde werd ook daar niet met een hoofdletter geschreven, 'maar ze waren in ieder geval rechtdoorzee'. De jonge Yiannis bedacht zich wel twee keer voordat hij op een stoel ging zitten.

'Als ik ook maar de indruk wekte mijn handen in de zakken te steken, riep mijn grootvader me al tot de orde.'

Hij speelde voetbal en basketbal, twee razend populaire sporten in Griekenland. Maar nadat hij op de televisie de Olympische Spelen van München had gezien zwoer hij ze af, ondanks het snelle succes in de vorm van regionale selecties. Hij had er de toorn van zijn opa voor over om voor de buis te gaan zitten en de atletiekwedstrijden te zien.

'Ik vond alle loopnummers vanaf de 1500 meter even mooi en dacht: dit is nu echte sport. Voetbal is meestal niet eerlijk. Als er van de elf spelers vier lui zijn, is winnen toch mogelijk. Omgekeerd kun je door één speler verliezen, ondanks fantastisch spel. Bij de meeste individuele sporten krijg je je investeringen terug, met uitzondering dan van de disciplines die afhankelijk zijn van juryleden.'

Yiannis Kouros geeft toe dat hij ook vanwege klimatologische omstandigheden voor het hardlopen koos, aanvankelijk in de vorm van de 800 en de 1500 meter, en de 3000 meter steeplechase. Tripoli, dat 650 meter boven de zeespiegel ligt, is een van de koudste plekken van Griekenland, het kan er vriezen.

'Er zijn dagen geweest waarop ik het deurslot niet kon openen omdat ik mijn ijskoude handen nog nauwelijks kon bewegen. Ik deed aan deze sport om op temperatuur te blijven.'

Atletiek deed zelfs zijn verkilde hart smelten. Ze bleek de beste vluchtroute uit een doolhof van snel wisselende baantjes, studieaangelegenheden en ambities om kunstenaar te worden. Negen jaar na de in bloed gesmoorde Spelen van München, won Kouros de marathon op het klassieke parcours van Athene, in 2.32. Na afloop waren zijn benen nog fris genoeg om trainingsmaatjes, die over minder talent beschikten dan hij, tegemoet te lopen en hele stukken met ze mee te gaan. Officials adviseerden Kouros zich te specialiseren in de marathon en zagen in hem de troonpretendent van Spiridon Louis die in 1896 op hetzelfde parcours olympisch goud had veroverd. Zijn eigen dromen speelden zich voornamelijk af in de kunst, tot aan de dag waarop hij de Spartathlon won: een wedstrijd over bijna 250 kilometer in de voetsporen van Pheidippides.

Kouros gelooft niet in reïncarnatie, maar die dag en nacht in de herfst van 1983 voelde hij de geesten van verre voorouders nabij. Met door wierook besprenkelde wazige verhaaltjes hoef je bij hem ook niet aan te komen, maar hij kan het helaas niet anders uitdrukken: 'Het is alsof die voorlopers bezit van mijn lichaam nemen. Ja, en dan moet ik vooral aan Pheidippides denken.'

Hij was in tranen uitgebarsten op de bergpas, een hindernis die 's nachts moet worden bedwongen en waar, volgens de verhalen van Herodotus, de mythologische god Pan altijd de wacht houdt. Het verleden raakte hem aan, of liever, trof hem als een bliksemschicht, terwijl juist hij weet dat de geschiedenis voor gek is gezet bij het uitzetten van de route van Athene naar Sparta. Yiannis Kouros is er namelijk van overtuigd dat de postbode van destijds een andere weg heeft gelopen, en zeker niet die via Nemea, een antieke bezienswaardigheid die door de Engelse regisseurs van de Spartathlon zo nodig moest worden opgenomen in het parcours.

'De Engelsen wilden niet alleen de oude route van Pheidippides volgen, ze wilden ook langs zo veel mogelijk bezienswaardigheden. In een café hadden ze de weg gevraagd. "Ga noordwaarts," hadden ze daar gezegd. En daarmee is de geschiedschrijving zo goed als zeker vervalst.'

Driftig trekt hij wat lijnen op een stukje papier en tekent het parcours, zoals het volgens hem zou moeten zijn, namelijk via de Parthenionpas. Weliswaar 400 meter lager dan het huidige obstakel, maar met de belangrijke kanttekening dat de boodschapper niet alleen maar naar Sparta is gelopen, maar ook weer terug. Een tocht van, alles bij elkaar, een dikke 500 kilometer.

De Spartathlon, in de huidige vorm ter nagedachtenis van Pheidippides, is daarom, volgens Kouros, niets minder dan een belediging maar past wel bij de organisatoren, die tegenwoordig van Griekse snit zijn.

'En zoals bijna al mijn landgenoten zijn ze liever lui dan moe. Dus daarom de voorkeur voor een evenement van anderhalve dag boven drie dagen in de weer zijn.'

Milde boosheid maakt plaats voor minder controleerbare woede als hij de naam van de jaarlijkse ultraloop analyseert.

'Weinig mensen beseffen dat "lon" (in Spartathlon) staat voor Londen, de woonplaats van de RAF-officieren die de eerste loop organiseerden. Wat heeft Engeland met onze geschiedenis te maken?'

Op de vraag, hoe de wedstrijd dan wel zou moeten heten, heeft Kouros een stellig antwoord.

'Pheidippides-run natuurlijk! En dan in het vervolg: Athene-Sparta vice versa!'

De uitroeptekens wijken niet van zijn gezicht als hij – op verzoek – in de geest probeert te kruipen van zijn voorganger en de te pas en te onpas verspreide mare ter sprake komt dat deze Pheidippides ook degene is geweest die oorlogsnieuws van Marathon naar Athene bracht (een tochtje van slechts 40 kilometer). En die bij aankomst door uitputting meteen zou zijn gestorven, nadat hij nog net iets kon lispelen over de sensationele zege op de Perzen. Aan deze legende hebben we de marathon te danken.

Het is een vergissing die Yiannis Kouros zich persoonlijk aantrekt. Want Pheidippides was, in tegenstelling tot degene die de 40 kilometer niet aankon (waarschijnlijk een ongetrainde soldaat), een echte prof.

'Dat staat voor mij vast. In die dagen had je geen auto's, fietsen, of postkoetsen, maar postbodes die berichten over lange afstanden verspreidden. Het moeten echte atleten zijn geweest die precies wisten hoe ze moesten trainen en wat ze moesten eten en drinken om zo fit te zijn. Toppers als Pheidippides moeten zonder twijfel de beschikking hebben gehad over buitengewone eigenschappen. Het verschil met de anderen ligt puur op het mentale vlak. Ja, en in dat opzicht denk ik dat we veel op elkaar lijken. Ik ben er ook bijna van overtuigd dat deze postbode iemand was met sterke emoties, want die zijn nu eenmaal onlosmakelijk verbonden met het ultralopen.'

Gecontroleerd lang en relatief langzaam lopen, heeft veel meer te maken met persoonlijkheid dan fysieke eigenschappen, alhoewel het grappig is te constateren dat de meeste ultralopers juist niet de bonenstaken zijn die je op elkaar geperst ziet staan in het startvak van een stedenmarathon. Met zijn zeventig kilo was Kouros een bezienswaardigheid op de baan. Op weg naar Sparta was hij in fysiek opzicht een van de velen, met dien verstande dat hij bij zijn debuut in 1983 uren eerder arriveerde dan de nummer twee. De voorsprong was zo groot dat er hardop werd getwijfeld aan zijn eerlijkheid. In de moderne geschiedenis van de lange afstand zou Kouros niet de eerste zijn die gebruik had gemaakt van gemotoriseerde hulpmiddelen. De kritiek verstomde, toen hij het jaar daarop het parcoursrecord opnieuw verbeterde. Griekse journalisten, niet van chauvinisme gespeend, zochten en vonden snel superlatieven die recht deden aan de prestaties van 'Hermes, de vliegende Griek'. Maar in de nog (veel) langere wedstrijden, zoals de Australische ultraloop van Sydney naar Melbourne over ruim 1000 kilometer, ontpopte hij zich al snel als de levende legende die niet was bij te benen door welke superlatieven dan ook. In het eerste jaar, 1990, had hij een voorsprong van 24 uur; in 1991 was die al opgelopen naar 28 uur.

Australische triatleten zochten tijdens de eerste editie het geheim van Kouros in zijn eetgewoontes en noteerden ijverig wat hij tot zich nam en wanneer. Om een jaar later aan den lijve te moeten ondervinden dat het kopiëren van zijn dieet geen enkel effect had.

'In de aanloop naar een wedstrijd eet ik alles wat de pot schaft. En tijdens de ultralopen eet ik alles, behalve dierlijke producten zoals melk, kaas, vis en vlees. En waar ik in het dagelijks leven nooit chocolade aanraak, kan ik er tijdens de ultralopen niet genoeg van krijgen.'

Het speuren naar geheimen in eetgewoontes maakt hem van streek.

'Om te bewijzen dat de voeding er helemaal niet toe doet, heb ik een jaar, onderweg, alleen maar koolhydraten gegeten, en in een ander seizoen alleen maar alle variëteiten van kaas. Het maakte hoegenaamd niets uit. Alleen moet je natuurlijk geen bedorven spullen eten, of mengelmoesjes die je darmenstelsel ontregelen.'

Hij denkt, nee hij weet, dat Pheidippides ooit op eenzelfde wijze zijn opdrachten benaderde. Dus: verantwoord, zonder oogkleppen leven en verantwoord eten.

'De belangrijkste motor bij ultralopen is je geest. De manier waarop je inspiratie verzamelt, je manier van denken. Dat is het hele geheim.'

De mysterieuze krachten van Yiannis Kouros hebben in elk geval niets met trainingsschema's te maken. Hij loopt meestal twaalf kilometer per dag, de ene keer twaalf keer een kilometer en een andere dag drie keer vier kilometer, en nooit sneller dan veertien of vijftien kilometer per uur. Het kan eigenlijk niet simpeler.

'Het zijn een soort herhalingsoefeningen om mijn lichaam voor te bereiden op de loopbeweging en het niet op non-actief te zetten. Wat ik tijdens de wedstrijden doe, kan ikzelf ook nauwelijks geloven. Ik doe daarin dingen die ik in een training nooit voor elkaar zou krijgen. Ik zeg regelmatig tegen mijn vrienden dat het iets moet zijn dat uit het diepste van mijn ziel komt.'

Eenmaal keek hij daarbij naar eigen zeggen de dood in de ogen. Het gebeurde bij een meerdaagse wedstrijd op Tasmanië, waar de afstand te kort was om zijn eigen pijngrens te overschrijden.

'Ultralopen is voor mij alles boven de 24 uur. Dat is voor mij het minimum. Pas dan kun je laten zien over een bijzondere persoonlijkheid te beschikken. Voorwaarde is uitputting. In Tasmanië moest je nota bene iedere dag verplicht rusten. Welnu, ik studeerde muziek aan de universiteit van Melbourne en besloot toch mee te doen. De vijfde dag begon het te sneeuwen. Ik moest steeds meer kleding aantrekken en was gedwongen gas terug te nemen om op een bepaald moment helemaal tot stilstand te komen. Het leek erop dat mijn hart vastbesloten was te stoppen met kloppen. Bijna alle deelnemers passeerden me, mijn handen werden langzaam blauw. Langzaam maar zeker ben ik weer bij kennis gekomen en uiteindelijk nog tweede geworden in het eindklassement. Maar ja, dáár was de dood nabij.'

Prettigere herinneringen bewaart hij aan de julimaand van 1984, een memorabele maand in de geschiedenis van het ultralopen. Na zijn buitengewone optreden in de Spartathlon wilde Kouros het wereldrecord-24-uur aanvallen in de zesdaagse van New York, een krankzinnig evenement dat zich afspeelt binnen de overzichtelijke, maar o zo saaie bebouwing van een atletiekbaan. De Brit Dave Dowdie was twee jaar eerder, in Gloucester, tot een afstand van 274,048 kilometer gekomen. Dat zijn 685 rondjes van 400 meter, plus 48 meter.

'Ik was van plan de race daarna te verlaten,' zegt Kouros die in zijn jeugdige overmoed te snel van start ging.

'Nadat ik het record had gemist, besloot ik nog een etmaal te blijven lopen. En daarna nog één, en nog één.'

Eind van het eentonige lied was dat de Griek zes dagen bleef lopen, en uiteindelijk zestien wereldrecords aaneenreeg als een parelketting zonder einde.

'Na twee dagen stond het bloed al in mijn schoenen, terwijl ik maar één paar had meegenomen.'

Een aantal wereldrecordhouders was al lang geleden (een natuurlijke dood) gestorven op de dag dat Yiannis Kouros hun namen uit de boeken liet schrappen. Dat had ook te maken met de grote populariteit die de meerdaagse loopwedstrijden in de negentiende eeuw hadden. En zeker bij de in groten getale aanwezige toeschouwers die konden wedden op hun favorieten, die op nog kleinere, overdekte banen in wolken van sigaren- en sigarettenrook hun ronden liepen. Charlie Rowell, een Brit, had onder deze ongezonde omstandigheden in 1879 50.000 dollar bij elkaar gelopen in twee races, een fortuin vergeleken bij het gemiddelde maandsalaris van veertig dollar. Zijn wereldrecord op de 72 uur (568,299 km) uit 1882 hield ruim een eeuw stand. Mogelijk een nog grotere legende was George Littlewood, de eerste man die in een zesdaagse meer dan duizend kilometer aflegde, te weten 1003.832 km. We schrijven 1888. De tenen van de Brit waren na afloop in New York onzichtbaar door een brij van bloed. Zijn heup was gezwollen en hij klaagde, aldus Jan Knippenberg in zijn boek *De mens als duurloper*, over reumatische pijnen als gevolg van een ontstoken gewricht.

Al deze bewijzen van vergane glorie liet Kouros uit de boeken schrappen. Hij klaagt, anno 2005 maar over één ding: de wijze waarop fabrikanten loopschoenen menen te moeten maken. Vijfennegentig procent is, volgens hem, alleen geschikt voor de disco en bij de resterende vijf procent barst het ook nog van de beginnersfouten.

'Ik loop nu al zo lang en ben er nog altijd niet in geslaagd een goed merk te vinden. Ja, ik heb tien jaar lang voor wedstrijden een paar van Arthur Lydiard gebruikt [een in 2004 overleden legendarische trainer uit Nieuw Zeeland die net als Kouros altijd schold op de fabrikanten en in arren moede zelf maar loopschoenen ging maken. KK]. De grootste fout van de fabrikanten van populaire merken is dat ze mij, of andere bekende toplopers, niet om raad vragen. Het is zo eenvoudig, het gaat alleen maar om de basisprincipes in plaats van het uiterlijk vertoon of steeds maar weer nieuwe uitvindingen.'

Een ander gevecht tegen windmolens heeft hij de afgelopen jaren geleverd in een ultieme poging Pheidippides postuum te eren tijdens de Olympische Spelen in Athene. Daarvoor is hij teruggekeerd uit Australië, een land dat sporthelden graag de kost geeft, en dan niet slechts in de vorm van applaus. Kouros, die een verbeterde Spartathlon als demonstratie-evenement aan het olympische programma had willen toevoegen, klopte in Griekenland alleen maar op deuren die gesloten bleven.

'Ik heb er twee jaar over gedaan om een afspraak te maken met de minister van Sport, die ik uiteindelijk nooit heb ontmoet. Het heeft te maken met de Griekse mentaliteit. Liever minder werken dan een kans maken op uitstekende publiciteit.'

En wat de droom-Spelen van 2004 betreft: toeschouwers moeten van hem maar eens terugkomen om met eigen ogen te zien, hoe groot en volslagen onontwarbaar de verkeersknoop is in het centrum van het Athene zonder Olympische Spelen, waar hij trouwens het startschot mocht geven voor zowel de mannen- als de vrouwenmarathon.

Yiannis Kouros komt echt op dreef, als hij het olympische programma met de grote invloed van sponsors en bestuurders nabeschouwt.

'Voorzitters van clubs en bonden zijn over het algemeen de ergste mensen binnen de sportwereld, degenen met wél een sportieve achtergrond buiten beschouwing gelaten. Bijna altijd is er sprake van de verkeerde mensen op de verkeerde plaatsen, want ze willen immers alleen maar macht. De olympische geest? Die bestaat allang niet meer. Ik denk dat de Olympische Spelen snel zullen verdwijnen, sneller nog dan we ons nu kunnen voorstellen. Het proces van verrotting is al begonnen, van binnenuit. Doping, commercie, invloed van IOC en overheid, sporten die met sport niets te maken hebben, zoals de peepshow van het beachvolleybal, met zo schaars mogelijk geklede dames, en op muziek dansende paarden bij de dressuur. Het publiek, dat alleen nog wordt gedoogd, zal op een dag zonder tranen afscheid nemen van het olympisch gedrocht. In de definitie van sport horen naar mijn mening sowieso de begrippen inspanning en krachtmeting. Anders kun je net zo goed schilderen en schrijven op het programma zetten.'

Hij somt snel de sporten op die het predicaat olympisch verdienen: atletiek, zwemmen, wielrennen, roeien, kanovaren, volleybal (teamsport zonder contactmomenten). Geen vechtsporten zoals worstelen, omdat die zichzelf door de moderne wapens overbodig hebben gemaakt, en natuurlijk wel het ultralopen.

'Zie je nu, hoe eenvoudig het leven kan zijn?'

De vliegende Griek zou de wereld graag willen veranderen, maar hij vreest dat alleen een ramp van onvoorstelbare omvang daartoe in staat zal zijn.

'De wereld wordt nu geregeerd door idioten en boeven. Een echt nieuw begin is onmogelijk zonder catastrofe. Ik kan de manier waarop veel mensen leven niet accepteren. Ze wonen op elkaar in grote steden, als ratten in de val. Ze roken, terwijl ze weten daardoor een grote kans te lopen vroegtijdig in een ziekenhuis te belanden of eerder te zullen sterven. Ze bewegen niet, rijden met hun auto het liefst tot in de winkel om hun boodschappen te doen. Ze weten eenvoudig niet hoe je van het leven kunt genieten. De meesten willen alleen maar een gemakzuchtig leventje. Die instelling hebben ze te danken aan hun opvoeding. Ze bestaan zonder zich bewust te zijn van hun sterfelijkheid. Ik ben hier gekomen om iets achter te laten. Ik probeer de wereld een heel klein beetje te veranderen door te schrijven, te schilderen en te lopen.'

Het zijn grote woorden die hun gewicht aanmerkelijk verliezen, zodra hij op pad gaat voor nieuwe avonturen in de voetsporen van Pheidippides.

'Ultralopen is als het leven. De ene dag ben je gelukkig, de andere dag chagrijnig. Soms ziet het ernaar uit dat je absoluut niet verder kunt en dan opeens gebeurt het onmogelijke. Je vindt onverwachte reserves. Het is alsof je opstaat uit de dood. Er is, kortom, weer hoop.'

Jessica Durlacher

Goyim-naches

In de ogen van mijn vader was het absurd om uit vrije wil dingen te doen waarvan je moe werd. Sport was iets voor anderen, dommer dan wij. In de oorlog had hij dingen moeten doen die veel te veel van hem hadden gevergd en nu wilde hij ons beschermen. Het vege lijf moest behoed worden voor te veel inspanning, krachten waren er om te sparen.

Als ik van gymnastiek wilde spijbelen, kreeg ik onverwijld een briefje van mijn vader mee.

Als ik ergens pijn had, of een beetje verkouden was, werd ik thuis gehouden. Wandelen was iets van mijn moeder en háár vader, die in de oorlog niet aarzelde veertig kilometer per dag te lopen om een zak aardappelen in het hoge noorden te ritselen. Hij woonde op Walcheren. Toen hij al vijfentachtig was, liep hij wanneer hij daar zin in had, met die soldateske, razendsnelle tred van hem, van de ene naar de andere kant van het eiland. En hij had er vaak zin in.

Als mijn vader daarvan hoorde, zei hij zonder enig respect: 'Ja ja, je grootvader is gek.'

Dat vonden wij dan dus ook maar.

Ik haatte wandelen. Als kind was ik altijd moe. Ik zat het liefst op de bank te lezen en at drop of een appel, soms twee achter elkaar. De klokhuizen liet ik achter op bijzettafeltjes, op de grond, in de plantenbak.

'Weer een vogellijkje,' mopperde mijn vader dan, 'waarom ga je je moeder niet helpen?'

Het was ook nooit goed. Ik sleepte me dan maar weer naar de keuken. Ik was mollig. Als ik thuis klaagde dat ik, tijdens de sport op school, weer eens als laatste werd gekozen voor de elf- of zestallen, zei mijn vader alleen maar: 'Net als ik.'

Men hield thuis vooral van me als ik het op sportgebied liet afweten. Maar ik vond het niet leuk. Nederlagen op welk gebied ook zaten me dwars.

Ik haatte het vooral om mollig te zijn. Dik zijn was iets voor altijd, vreesde ik. Maar, wat er om me heen zat, was niet van mij. Het was een laag isolatiemateriaal waarbinnen ik langzaamaan zou stikken. Ik wilde eruit, maar ik wist niet hoe. Toen ik mezelf op een rigoureus dieet zette, zag ik niets veranderen. Dezelfde buik, dezelfde benen, dezelfde armen: ze bleven sterk lijken op wat ik al had. Ik kon nergens uit. Dit was ik!

Ieders aandacht was óók al op mij gericht. Ze zeiden dat ik mager was. Ze schreeuwden dat ik mager was. Maar het klopte niet. Mager was iets voor anderen. Ik zou nooit mager worden.

Soms bekroop mij toch een vaag vermoeden dat ze gelijk hadden. Maar dan weer was ik er zeker van dat het niets oploste – omdat ik nergens uit kon.

Ik ging van huis weg. De wereld veranderde. Ik at weer.

Het was zwaar om alleen te zijn. Ik was altijd moe en ik had vaak hoofdpijn!

'Zoek een vriendje,' zei een vreemde dokter met een grijnsje, 'je hebt een lage bloeddruk.'

Maar ik had al vier vriendjes – waar ze thuis niets van wisten.

Ik begon met zwemmen. Dat was het begin. Het was afschuwelijk en heerlijk tegelijk. Want voor het eerst veranderde ik echt een beetje. Mijn conditie verbeterde, en ik was niet moe meer. Toch moest ik iets anders zien te vinden, want mijn schouders begonnen te zwellen en mijn haar werd groen bij een bepaalde lichtval. Zo is het begonnen: het lopen.

Het deed pijn aan mijn benen, mijn longen, mijn middenrif. Alles deed pijn. Ik liep op All Stars met dunne zolen. Het Vondelpark was groot, heel groot. Een onafzienbaar woud. Na elke stap wilde ik stoppen, maar ik deed het niet. Van vrienden kreeg ik echte sportschoenen en toen kreeg ik de smaak te pakken. Ik zweefde. Steeds langer hield ik het vol zonder pijn en zonder te stoppen. Na een half jaar was het zover: ik raakte in paniek als ik niet kon rennen.

Vreemd vonden ze het wel, thuis, al dat fitte gedoe. Een beetje eng zelfs.

'Moet dat nou?' vroeg mijn vader hoofdschuddend, als ik na een uur met een vuurrood en bezweet hoofd binnenstrompelde. 'Word je zo niet veel te moe?'

Later wende hij eraan, zoals hij geleerd had aan al onze gekten te wennen.

'Goyim-naches,' bleef hij het noemen, wat zoveel betekende als mafheid van niet-joden.

'Dit zijn niet mijn genen, maar die van je grootvader, vrees ik. Nou ja!'

Maar ik geloof dat hij het eigenlijk wel stoer van me vond dat ik, zijn vlees en bloed, zijn oudste kind, zo hard kon en wilde lopen.

Jac. Toes

Por algo

Buenos Aires, 7 januari 1978

Het is een lauwwarme, rustige avond in de wijk Villa España van Berazategui, een voorstadje van Buenos Aires. De bewoners staan te praten bij de voordeuren van hun huizen, op straat spelen kinderen. Een afremmende minibus laat het stof van de ongeplaveide wegdek opstuiven. De deur wordt opengegooid en Miguel Sánchez, dichter en hardloper, springt naar buiten. Hij is weer thuis, na twee enerverende hardloopwedstrijden in Brazilië en Uruguay.

'Hé, Miguelito, hoe ging het?'

Miguel steekt zijn duim op naar de buren en roept dat het geen hálve meter scheelde of hij was kampioen geworden. Hij loopt haastig door want zijn moeder en drie zussen wachten op hem. Miguel is in een uitstekend humeur. Bij de Sylvesterloop in Sao Paolo, een week daarvoor, is hij in de voorhoede geëindigd. Via de bondstrainer, de legendarische Osvaldo Suárez die de befaamde Oudejaarsloop drie keer op rij won, had hij een startbewijs gekregen. Nu heeft hij bewezen dat hij terecht deel uitmaakt van de nationale selectie. Hij heeft standgehouden in een veld met wereldtoppers. Misschien had hij hoger kunnen eindigen, 8,9 kilometer is net te veel, de 5000 meter ligt hem beter. Bijkomend excuus: de dolenthousiaste menigte waar hij zich letterlijk tussendoor moest worstelen. Ook bij zijn atletiekclub Independiente kunnen ze tevreden zijn.

Een buurjongen schopt een voetbal naar hem toe. Miguel legt de bal in één beweging stil en laat hem een paar maal op de wreef stuiteren, een actie uit de tijd dat hij nog voetballer wilde worden. Toen ze pas uit het noordelijke Tucumán waren verhuisd, was hij zelfs lid van La Plata geworden. Als loper bleek hij echter meer succes te hebben. En meer plezier ook… nu komt hij nog eens ergens. Dit weekje in Sao Paolo bijvoorbeeld, dat was een verademing, heel wat vrolijker dan Buenos Aires, waar sinds de militaire dictatuur een kille wind waait. Hij heeft er kennisgemaakt met veel sporters, uit alle landen. En hij kon zich daar in alle rust voorbereiden op de *Carrera van San Fernando*, de wedstrijd die hij vanochtend heeft gelopen. Ook geen onbelangrijke evenement in Zuid-Amerika.

De afgelopen maanden heeft hij er keihard voor getraind. 's Ochtends vroeg in zijn eentje, voordat hij de trein naar zijn werk nam, en 's avonds nog een keer, maar dan onder leiding van Osvaldo Suárez. Hij is geen natuurtalent, dat heeft Suárez hem duidelijk gemaakt, dus om tot de top te behoren zal hij moeten werken. Maar hij is nog jong, vijfentwintig, en volgens Suárez gaat hij pas over een paar jaar tot zijn recht komen. Als marathonloper, heeft de trainer voorspeld.

Miguel haalt een krant uit zijn zak en zwaait ermee naar de buren. *De Gazet van Sao Paolo.* Deze editie bevat zijn grootste trofee, maar dat weet niemand. Kijk, op pagina 14, daar staat zijn gedicht *Para vos atleta.* Gepubliceerd op 31 december 1977, een paar uur voordat de Sylvesterloop van start ging. Sinds een jaar heeft hij zich op het schrijven van poëzie gestort. Steeds vaker slaagt hij erin de juiste toon te pakken te krijgen. Hij heeft zelfs al een paar gedichten aan Suárez laten lezen. De trainer sloeg steil achterover en feliciteerde hem.

Hij stampt het stof van zijn schoenen voordat hij de sleutel in het voordeurslot steekt. De heenweg was comfortabel, maar de terugreis per bus en met de boot en weer per bus, plus die ellendig lange controles bij de douane, waren een bezoeking. En de wedstrijd van vanochtend is hem toch ook wel in de benen gaan zitten.

Gelukkig heeft hij een vrije zondag voor de boeg waarop hij kan uitblazen en met zijn moeder en zussen bijpraten. Hij zal ze natuurlijk niet alles vertellen. Zo'n evenement heeft ook zijn discrete kanten... in zijn tas heeft hij een fotootje van de tolk met wie hij optrok, een leuke meid met wie hij contact wil houden. Misschien zit er een gedicht voor haar in de pen... Hij schrikt van een fietsbel vlak achter hem. Zijn vriend en collega Rodolfo Fernández scheurt rakelings voorbij.

'Maandag ben je er weer, hè?'

Ja ja, maandagochtend, in de trein naar het centrum zal hij hem jaloers maken met zijn buitenlandse avonturen voordat hij weer eindeloze uren in de Banco de Provincia zal doorbrengen. Hij werkt daar als bode, een mooi woord voor manusje-van-alles. Maar hij moet niet ondankbaar zijn. Dankzij de steun van zijn *compañeros* van de bank kon hij met een vliegtuig naar Sao Paolo. Hij zal het allemaal vertellen in het gebruikelijke interview voor het bedrijfsblad. Hij heeft laten zien dat er niet alleen armoedzaaiers uit Tucumán komen, die achterafprovincie die hij met zijn moeder en zussen is ontvlucht om zijn heil in Buenos Aires te zoeken. El Tucu noemen ze hem spottend, maar ondertussen heeft hij wel het leeuwendeel van de bekers en medailles in de prijzenkast van de bank bij elkaar gelopen.

Hij gooit de deur van zijn huis open en wordt begroet als de verloren zoon. Terwijl hij een opgewarmde hap naar binnen werkt, doet hij enthousiast verslag aan zijn zus en moeder, die hem het hemd van het lijf vragen. Daarna overvalt hem de vermoeidheid. Het is middernacht wanneer hij in bed duikt. Hij valt meteen in slaap.

Om drie uur 's nachts wordt iedereen in huis wakker van gebonk op de voordeur en van de hond die als een razende begint te blaffen. Er staat een groep zwaarbewapende mannen voor het appartement. Ze schreeuwen dat ze Miguel Angel zoeken, ze dreigen de voordeur in te trappen. Miguels moeder doet open en achter elkaar stormen ze de gang in. Het zijn er vier, vijf, zes, twaalf man.

Miguel ligt te slapen in zijn kamer, achter in het huis. De mannen dwingen hem uit zijn bed te komen en zich aan te kleden. Hij gehoorzaamt, slaapdronken en verdoofd door de agressie. Onderwijl trekken ze de boeken uit de boekenkast en doorzoeken ze zijn kasten. Ze vinden niets en keren zijn sporttas om. Er komen shirts uit die hij heeft geruild met andere lopers, een sleutelhanger, asbakjes, souvenirs uit Sao Paolo.

Op dat moment gaat in het huis een wekker af. De mannen schrikken, richten hun mitrailleurs op de deur waarachter het geluid klinkt. Ze schreeuwen: 'Waarom heb jij de wekker zo vroeg gezet, wat wilde je gaan doen? Is dit soms een alarmcode?' Nee, zijn oudere zus komt haastig naar hen toe en legt uit dat zij vroeg op moet. Ze heeft een ochtenddienst in het ziekenhuis.

Dat zijn de laatste woorden en beelden die hij meeneemt uit de vertrouwde wereld van zijn familie. Hij wordt aan weerszijden vastgepakt, geblinddoekt en geboeid. Een afscheidskus voor zijn moeder wordt hem niet toegestaan. In een drafje brengen ze hem naar buiten.

De buren die door de kieren van de blinden gluren, zien hoe hij naar de overkant van de straat en over de spoorlijn wordt gesleurd. Vervolgens wordt hij in een wachtende Ford Falcon geduwd, die meteen daarna wegrijdt.

Buenos Aires, 12 december 2005

Elvira Sánchez, zijn zus, vertelt me het verhaal van Miguels thuiskomst en ontvoering net zo gedetailleerd als aan de Conadep, de commissie die de verdwijningen tijdens de Videla-dictatuur in kaart bracht. De gevreesde grijsgroene Falcons waren het symbool voor ontvoeringen, martelingen en dood. De militaire ontvoeringseskaders reden daarin rond, zonder nummerbord, een manier om te laten weten wie ze waren, terwijl niemand ze kon identificeren.

'Miguel had er niet het flauwste vermoeden dat hij zou worden opgepakt, of waarom,' zegt ze. 'Het moet verraderswerk zijn. Of de geheime diensten volgden hem al een tijdje.'

In die nacht haalden de militairen nog vijf andere jongemannen op in dat wijkje van Berazategui. Toeval of niet, het waren allemaal leden van de Juventud Peronista, een jeugdafdeling van de Peronistische partij die zich vooral met het buurtwerk bezighield. Drie van hen zouden nooit meer terugkomen.

'Samen met een neef die bij de *Prefectura* werkte, hebben we de dag daarna bij een naburige legereenheid geïnformeerd, Bataljon 601. We kregen te horen dat we ons koest moesten houden. Vooral geen vragen stellen en gewoon afwachten...' Elvira is eraan gewend om Miguels geschiedenis te vertellen, maar als ze zich weer herinnert hoe ze met een kluitje in het riet werden gestuurd door de officiële instanties, wordt het haar te veel. Ze snikt het uit: 'Maar we hebben nooit meer iets van hem gehoord...'

Ze verontschuldigt zich voor haar tranen en legt uit dat het een emotionele tijd is. De dag ervoor was ze bij de Dwaze Moeders op de Plaza de Mayo. Ze hebben er de as van Azucena Villaflor verstrooid, in een perkje vlak voor het presidentiële paleis. Señora Villaflor was een van de eerste Dwaze Moeders en ze is, net als haar medeoprichtsters, in 1977 ontvoerd, gemarteld en uit een vliegtuig in de Rio de Plata gegooid. Haar lichaam spoelde aan bij San Teresita en werd naar een begraafplaats in een buitenwijk van Buenos Aires gebracht. Om haar identiteit te maskeren werd ze als een mannelijke anonymus begraven. Pas na jaren is door DNA-onderzoek komen vast te staan om wie het ging.

Miguels naam staat nu op een herdenkingsplaquette in de hal van de Banco Provincia de Buenos Aires, tussen die van de andere 25 verdwenen werknemers. De bekers die hij voor de bank won, hebben ze weggehaald. Zijn agenda, met veel van zijn gedichten, is in handen gevallen van de militairen en dus verdwenen. Zelfs de Argentijnse vlag die hij voor zijn wedstrijden meenam, hebben ze geconfisqueerd. Uit angst dat de ontvoerders zouden terugkomen, hebben zijn moeder en zussen zijn brieven en persoonlijke notities weggegooid, alles wat anderen in gevaar kon brengen, op een enkele foto na.

Elvira laat er één zien, zijn laatste, genomen in Sao Paolo. Hij zit ontspannen op de voorkant van een Volkswagentje, samen met de vrouwelijke tolk.

Waarom is hij ontvoerd?

Het is een vraag die Elvira zich eindeloos vaak heeft gesteld.

Por algo, zei men indertijd. Om 'iets'. Ofwel: er móét wel wat zijn, hij zal iets hebben uitgevreten wat wij niet weten, *por algo*, die vloek, de dooddoener waarmee de bange goegemeente haar geweten suste over de vuile oorlog die Argentinië in haar greep had.

'Nou, als het dan *por algo* was,' zegt Elvira, 'dan was het omdat hij een weldenkend mens was, iemand die nadacht over zijn leven en hoe hij dat verder wilde leiden.'

Waarom hebben ze hem niet vrijgelaten, toen ze in de gaten kregen dat hij geen politieke tegenstander was, dat hij een hardloper was die de eer van Argentinië hooghield? Omdat hij lid was van de Juventud Peronista?

'Hij kwam al anderhalf jaar niet op de bijeenkomsten. Tweemaal daags trainen eiste al zijn vrije tijd op en bovendien volgde hij ook nog een beroepsstudie. Hij wilde hogerop komen.'

Elvira grabbelt in de tas waarin ze alle herinneringen aan Miguel – het zijn er niet veel – in plastic mapjes heeft bewaard. Ze laat me een brief zien van het *Comando General* van de Argentijnse strijdkrachten. Het is een wedstrijdcertificaat uit 1976.

'Hij had nota bene nog voor de militairen hardgelopen, ruim een jaar voor zijn ontvoering, tijdens een toernooi op een militair opleidingsinstituut,' zegt ze. 'Daarom dachten we eerst dat ze een vergissing hadden gemaakt. De ontvoerders vroegen naar iemand met de voornamen Miguel *Angel* en onze Miguel heet

Miguel *Benancio*. Ons protest liet die militairen koud. "Dan komt hij wel terug," was hun antwoord.'

Na Miguels verdwijning volgt een zoektocht die meer dan twintig jaar zou duren, een odyssee die doodliep aan de loketten van politiebureaus, kazernes, huizen van bewaring, gemeentelijke en kerkelijke instanties. Het waren twintig eenzame jaren, vooral in het begin, toen iedereen bang was. Niets horen, niets zien en vooral zwijgen, was het devies.

Miguels moeder heeft tot haar dood in 1992 op hem gewacht. Rouwen zonder lijk kon ze niet en ze heeft altijd gedacht dat Miguel weer zou opdagen. Ze bewaarde al die tijd zijn kleren, omdat er een kans bestond dat hij levend zou terugkeren.

Buenos Aires, 13 december 2005

Volgens zijn trainer Osvaldo Suárez kan er alleen maar sprake zijn van een vergissing: 'Miguel is waarschijnlijk in het adressenboekje terechtgekomen van een verkeerde persoon, een subversieveling. Daarom hebben ze hem aangezien voor een medeplichtige. Niets wees erop dat hij ontvoerd en gedood zou worden. Er waren geen bedreigingen geweest, en hij was er ook niet bang voor.'

Ook Sr. Sánchez zelf had er geen vermoeden van welk gevaar zijn pupil liep. De verslagenheid is nog steeds van zijn gezicht te lezen als we bij een monument voor Miguel staan, bij het Ministerie van Sport. Miguels laatste gedicht is er in brons afgedrukt. *Para vos atleta.*

'Het is nog steeds onbegrijpelijk. Miguel had een grondige *screening* ondergaan toen hij bij de bank ging werken. Daar was hij helemaal schoon uit tevoorschijn gekomen: hij was politiek niet of nauwelijks actief. Hij las geen opruiende boeken. Zijn ontvoering kwam bij ons over als een soort Russisch roulette. Hij is de enige van de nationale selectie die ze hebben opgepakt. Wat hadden we een beroerde tijd toen we het bericht van zijn verdwijning kregen! We begrepen meteen dat hij in handen van de militairen was gevallen. Maar iedereen hield zijn mond in die tijd. Vragen stellen, ja zelfs praten over zijn verdwijning, kon al levensgevaarlijk zijn.'

Vier jaar heeft hij Miguel onder zijn hoede gehad.

'Hij trainde zes keer per week bij onze selectie. De ene dag in Villa Domenico, twaalf tot vijftien kilometer duurloop. De andere dag intervaltrainingen in het Sarmientopark. Daar is de atletiekbaan nu naar Miguel vernoemd. Hij had een sterke wil en hij ging goed vooruit. Zijn tijden? Hij liep 15.10 op de 5000 meter, als ik het me goed herinner. Bij nationale toernooien eindigde hij altijd bij de eerste tien. Ik ging vaak met hem mee naar nationale wedstrijden, om hem aan te moedigen, of om hem op het juiste moment een push te geven. De laatste keer waren we in Rosario. Daar werd Miguel derde. Toen heeft hij me ook een paar gedichten laten lezen. Helaas heeft hij me nooit kunnen vertellen hoe hij in Sao Paolo en Uruguay heeft gelopen. Kijk, ik ben een moeilijk mens, ik maak niet zo snel contact. Maar Miguel praatte met iedereen, het was gewoon een fijne knul, levendig, vrolijk en sociaal. Hij was nieuwsgierig naar het leven.'

Na zijn ontvoering werd het stil rond Miguel Sánchez, doodstil. Die stilte duurde totdat in januari 1998 twee journalisten van *Clarín*, het grootste dagblad in Argentinië, over zijn verdwijning begonnen te schrijven. Dat was het sein voor een stortvloed aan publiciteit rond de verdwijning van Miguel Sánchez, die in 2001 tot een kleine doorbraak leidde. Twee sportjournalisten van *El Gráfico* ontdekten toen dat Miguel gevangen had gezeten in de Vesuvius, een detentiecentrum aan de rand van de stad.

Deze journalisten waren een buschauffeur, een zekere Manzo, op het spoor gekomen die tien dagen in diezelfde Vesuvius zou hebben doorgebracht. *Zou* hebben, want helemáál zeker is dat niet omdat de gevangenen dag en nacht een kap over het hoofd hadden en ze gedwongen werden te liggen in de *cuchas*, de zogenaamde hondenhokken, cellen ter grootte van één meter breed, één meter hoog en twee meter lang. Deze Manzo had bewakers horen praten over een of andere hardloper die ze te pakken hadden gekregen. Het was een Chileen, die 'zojuist een wedstrijd in Brazilië had gelopen'. Hoewel de nationaliteit niet klopte, moet dat Miguel Sánchez zijn geweest, die een paar dagen eerder was ontvoerd. Ze hadden hem toen al gruwelijk te grazen genomen, ving Manzo op.

Een paar dagen later slaagde Manzo erin om een paar woorden te wisselen met een gevangene die naast hem in de *cucha* was vastgeketend. Het was Rodolfo Fernández, de oude vriend en medeforens van Miguel, die in dezelfde nacht was opgepakt. Rodolfo wist te vertellen dat ze 'die hardloper hadden uitgewrongen als een vaatdoek'.

Het zijn maar kleine aanwijzingen over Miguels laatste uren, maar ze geven de familie enig houvast.

Rome, zondag 15 januari 2006

En toch.

Miguel Sánchez is niet in vergetelheid geraakt. Hij is de enige atleet uit de nationale selectie die het slachtoffer van de dictatuur werd. Dat feit heeft voor een hausse aan herdenkingswedstrijden gezorgd. Elk jaar wordt er in de maand maart de *Carrera de Miguel* georganiseerd, een hardloopwedstrijd die dwars door het centrum van Buenos Aires gaat. In 2005 deden bijna tienduizend lopers mee. Ook in Bella Vista, zijn geboortedorp in Tucumán, wordt jaarlijks een *carrera* gehouden en in zijn wijk Villa España in Berazategui, waar hij werd ontvoerd, is er elk jaar in januari een wedstrijd. Maar niet alleen in zijn thuisland wordt hij jaarlijks herdacht. Ook in Italië is het verhaal over zijn tragische lot doorgedrongen. Een journalist van het sportblad *La Gazzeta dello Sport* heeft Miguels geschiedenis in een boek wereldkundig gemaakt en samen met een paar collega's het initiatief genomen tot de *Corsa di Miguel*, een driedaags loopfestijn dat elk jaar in het Paolo Rossi-stadion in Rome plaatsvindt, vlak bij het olympisch dorp.

Ik meld me eerst bij het inschrijvingsbureau waar de gebruikelijke opwinding en chaos heerst. Vandaag staat het koningsnummer op het programma, de tien kilometer langs de Tiber. Een stadsloop, net zoals Miguels laatste in Sao Paolo. Iemand moet nog even op de fiets de borden met de kilometeraanduidingen neerzetten, dan kunnen de ruim vierduizend lopers van start gaan. Velen dragen het shirt met Miguels laatste gedicht *Para vos atleta*.

In 2005 gaf de Argentijnse minister van Sport het startschot. Hij had zelf een broer aan de generaalsdictatuur verloren, die net als Miguel is 'verdwenen'.

Ook dit jaar ontbreken officiële genodigden niet. De burgemeester van Rome is er, de *presidentes* van alle Romeinse sportclubs lopen op het vip-terrein rond, en daar ook ontdek ik Gianni Rivera, de voetballegende uit de jaren zestig, tegenwoordig lid van het Europese Parlement. Mister Milano, was zijn bijnaam, je herkent hem meteen aan zijn elegante kleding. Wat doet hij daar?

'Ik heb de *Corsa de Miguel* geadopteerd,' verklaart hij geroutineerd. 'Want Miguel was een groot atleet die een hoge prijs voor de vrijheid heeft betaald.'

Het parcours is breed en mooi vlak. Halverwege speelt een orkestje de lopers moed in. De Tiber heeft vandaag een grijsgroene schutkleur en stroomt traag mee tussen de modderige oevers. Er doen snelwandelaars mee, veel vrouwen, en opvallend veel mannen van de leeftijd die Miguel zou hebben, als hij in leven was gebleven.

Ik ontmoet Elvira Sánchez bij de finish. Ze staat daar altijd, elk jaar weer. Ze begroet persoonlijk de binnendruppelende lopers. Het is een bewolkte dag. Toch draagt ze een zonnebril.

'Het was heel *emocionante*,' fluistert ze tegen me.

Ze heeft twee weken Rome achter de rug, en ze heeft veel interviews gegeven aan radio- en tv-stations, aan kranten en tijdschriften. Ze is doodmoe maar dankbaar. Miguel wordt herinnerd. En meer dan dat.

'Hij geeft die dertigduizend andere vermisten een gezicht.'

Ze moet de volgende dag al terug naar Buenos Aires. Ze is lerares en heeft haar kerstvakantie besteed aan de herdenkingswedstrijd.

'Als ik van het vliegveld naar huis rijd,' zegt ze ineens, 'kom ik er altijd langs. Langs die ellendige Vesuvius, waar hij gevangen heeft gezeten.'

Ze zal haar gezicht afwenden, zegt ze, en ze zal zich dwingen om zich niet af te vragen wat er met een goedgetrainde atleet moet gebeuren om hem als een uitgewrongen vaatdoek achter te laten.

Para vos atleta

Para vos atleta
para vos que sabés del frío, de calor,
de triunfos y derrotas
Que no lo son, no
para vos que tenés el cuerpo sano
el alma ancha y el corazón grande.
Para vos que tenés muchos amigos
muchos anhelos
la alegría adulta y la sonrisa de los niños.
Para vos que no sabés de hielos ni de soles
de lluvia ni rencores.
Para vos, atleta
que recorriste pueblos y ciudades
uniendo Estados con tu andar
Para vos, atleta
que desprecias la guerra y ansías la paz

Voor jou, sporter

Voor jou, sporter,
voor jou, die kou kent en hitte,
overwinningen en nederlagen,
die geen nederlagen zijn, niet
voor jou met je gezonde lichaam,
met je bezielende kracht
en groot hart,
met al je vrienden en verlangens,
vrolijk als een volwassene
en lachend als een kind.
Voor jou, onaangedaan door
vorst en regen,
zon en ziekte.
Voor jou, sporter,
die landen verenigt
door te lopen langs steden en dorpen.
Voor jou, sporter,
afkerig van oorlog en hunkerend naar vrede.

Vertaling: Alwin van Ee

Kader Abdolah

En toen de bergen

Vroeger was ik bergbeklimmer. Elke vrijdag ging ik vroeg in de ochtend met een groepje vrienden de bergen in en samen beklommen we de Totjal. Die berg was 4071 meter hoog en lag tegen Teheran aan. Je kon in een paar uur de top bereiken en op tijd weer afdalen.

Het waren prachtige belevenissen: we klommen samen, praatten onderweg met elkaar en namen de tijd om van de geweldige natuur te genieten.

Bergbeklimmen is een unieke sport, tijdens het klimmen bouw je je tocht geleidelijk op en gaandeweg wordt je lichaam een bewegend deeltje van de berg. We genoten van onze wekelijkse klim en ik kon niet meer goed functioneren zonder klimmen in mijn dagelijks leven.

Ik dacht er nooit aan dat er een dag zou komen dat ik de bergen voorgoed zou moeten verlaten. Dat ik geen toegang meer zou hebben tot de bergen van het vaderland.

Maar de dag kwam en plotseling mocht ik die bergen niet meer zien.

Ik kwam in Nederland terecht waar zelfs geen steentje op de grond lag om op te rapen, vast te houden, ter herinnering aan de bergen die ik had achtergelaten.

Ik wandelde door platte weilanden en dacht terug aan die vrijdagen die niet meer waren.

Op een dag kwam ik een groep hardlopers tegen op de dijk, plots begon ik met ze mee te lopen. Ik pakte het tempo snel op en rende met ze mee. Jaren later schreef ik een brief aan een van mijn vrienden met wie ik de bergen beklom. Ik heb een kopie bewaard:

Beste,
Je klimt nog steeds in de bergen, neem ik aan. Ik niet. Toen ik hier kwam, trok ik een paar trainingsschoenen aan. Zevenenhalf jaar heb ik onafgebroken in de regen, in de kou en in de zon met de trimgroep van het dorp gelopen, maar iedere keer opnieuw twijfel ik over wat ik aan moet trekken. Een lange trainingsbroek met jack? Zonder jack? Een sportshirt eronder? Een dik shirt? Een dun? Nee, je leert het nooit. Het is iets eigenaardigs. Ik luister naar het weerbericht, ga zelfs buiten staan. Goed weer.
Het waait niet. Oké, ik trek een korte broek aan.
Ik ren naar de trimbaan, maar ik zie dat iedereen een lange trainingsbroek en een windjack aanheeft. Onderweg begint er een koude wind te waaien. Eenmaal thuis kruip ik meteen onder de wol.
Ik hoef niet te vertellen dat als ik een lange trainingsbroek aandoe met een trainingsjas, dat iedereen dan met een korte broek komt opdagen. Zelden gok ik goed. Op een keer dat er een massa donkere wolken in de lucht hing, ging ik eerst naar buiten en keek wat de anderen aanhadden. Een trimgenoot rende langs. Hij had een trainingsbroek en een trainingsjas aan.
'Loop je vanavond niet?' riep hij.
'Jawel hoor. Ik ga me meteen omkleden.'
Goed ingepakt rende ik naar de trimbaan. Iedereen had zich, net als ik, gekleed tegen de kou. Maar zodra de trainer floot om te beginnen, trok iedereen zijn trainingspak uit en begon in een korte broek te lopen. Ik niet. Ik kon niet. Ik had geen korte broek onder mijn trainingsbroek.
'Heb je het niet warm?' vroeg de trainer.
'Nee hoor,' loog ik. 'Ik ben het gewend. Ik kan er goed tegen.'
Die aarzeling heb ik niet alleen met het weer. Ook met de taal. De Nederlandse taal is iets unieks. Je moet het met de moedermelk indrinken, anders leer je het nooit perfect. Als

buitenlander kun je wél na enkele weken boodschappen gaan doen.
'Mag ik een kilo aardappelen?'
En je krijgt het. Of je kunt na een jaar met een woordenboek Jip en Janneke lezen. Je begrijpt het verhaal, maar je voelt het niet helemaal. Als je acht jaar in Nederland woont, houd je je woorden nog altijd onder je kiezen en spreek je ze woord voor woord met aarzeling uit. Je bent altijd bang dat je een verkeerd lidwoord gebruikt, dat je de klemtoon op een verkeerd gedeelte legt. Dat je een lange ij kort uitspreekt. En een korte o te lang trekt. En nog altijd heb je last met ui.
Ik kan het woord 'schreeuwen' nog niet goed uitspreken.
In plaats van het te schreeuwen, huil ik in mijn uitspraak.
Hollanders hebben ook een klein, lastig woord: er. Als je dertien maal 'er' hebt, kun je er zes goed plaatsen, maar met de rest blijf je zitten.
De Nederlandse taal is de taal van de Hollanders. Als je je als een Nederlander vermomt, weet iedereen dat je geen korte broek onder je trainingsbroek aanhebt zodra je je mond opendoet.

Rolf Bos

Sweet Home Alabama

No one called me nigger until I was seven
– *Jesse Owens*

Een paar maanden nadat James Cleveland Owens in Berlijn Adolf Hitler voor gek had gezet, werden in de staat Georgia, in het zuiden van de Verenigde Staten, een paar negers gelyncht.

Zomaar – nou ja, zomaar: er was een blanke vermoord en hoewel lang niet duidelijk was of een zwarte de dader was, werd er gehandeld volgens het oude credo van het blanke zuiden: bij twijfel pak je gewoon de eerste de beste *nigger*. In dit geval grepen de door illegaal gestookte drank verhitte blanke rotzakken er zelfs een paar. Een van de zwarte stakkers die naar de dikke eik aan de rand van het stadje werd gesleept, was getrouwd. Terwijl hij werd opgeknoopt, schreeuwde zijn hoogzwangere vrouw moord en brand.

Kom, we pakken haar óók, riepen de racisten.

Ook zij werd omhoog gehesen, boven het vuur dat onder de gehangenen was ontstoken. Is het verhaal zo al gruwelijk genoeg, het kan altijd nóg gruwelijker, in haar doodstrijd beviel de vrouw van haar baby, het kindje plofte in het vuur.

Dát hadden de blanke racisten, deze *rednecks*, nog nooit gezien. Ze snelden naar huis, om vrouw en kinderen te halen.

Kom snel, jongens, moet je nou eens kijken! Hangen we een negerin op, laat ze haar kind in het vuur vallen!

Ruim zeventig jaar later rijd ik door dit landschap waar in de voorbije decennia vele duizenden zwarten werden gelyncht – gewoon omdat ze zwart waren. In sommige dorpen zijn de stroppen van de lynchpartijen lang blijven hangen aan de met Spaans mos behangen eiken die hier overal staan. Niet omdat ze nog werden gebruikt, nee, gewoon, omdat de zwarte inwoners doodsbang waren om de rafelige touwen naar beneden te halen.

En de blanken? Ach, eens een redneck, altijd een redneck, ook zonder al die lynchpartijen. In sommige winkeltjes in South Carolina, Georgia, Tennessee en Alabama, waar overal de zuidelijke vlag aan de gevel wappert, kun je *hunting permits* kopen voor op de bumper van je pick-uptruck. Het zijn gele bumperstickers die melden dat de eigenaar op *African-Americans* mag jagen. Grapje – maar toch. (Soortgelijke stickers kun je ook kopen waar het woord 'Afro-Amerikaans' is vervangen door '*Democrats*'. Want *hey*, ook van de Democraten, de partij van Hillary Clinton en – God bewaar ons! – de zwarte Barack Obama, moeten ze weinig hebben, hier in *good old Dixie*.)

Ik rijd langs Atlanta, Georgia, waar Martin Luther King jr. werd geboren en waar ruim tien jaar geleden de Olympische Spelen werden georganiseerd. De Spelen van Coca-Cola, die niet als de beste uit de geschiedenis geboekstaafd staan, maar die minstens één memorabel moment opleverden. Michael Johnson liep er zijn fenomenale wereldrecord op de 200 meter: 19,32.

Ik ben op weg naar de *roots* van een andere zwarte sporter, een atleet die zijn sporen zestig jaar eerder verdiende, tijdens de Olympische Spelen van Berlijn. *The Man Who Outran Hitler*. De-Man-Die-Hitler-Eruit-Liep. Jesse Owens.

Tandenknarsend, zo wil de overlevering, zat Adolf Hitler in augustus 1936 op zijn stoel te kijken naar de donkere *Wunderathlet*, die weinig heel liet van zijn theorie dat het blanke ras op alle fronten superieur was.

Zat hij echt te tandenknarsen? Er zijn heel veel beelden van Hitler in het stadion, maar van Hitlers reactie tijdens de 100 meter-finale bestaan geen beelden. Stond hij ook op, zoals iedereen doet tijdens zo'n opwindende race? Riep hij aanmoedigingen, richting de – kansloze – Duitse atleet Erich Borchmeyer?

Wat we ook niet weten: was Hitler een atletiekliefhebber? Wat we weer wél weten: Adolf was zelf ooit een fanatiek hardloper, hij liep alsof zijn leven ervan afhing – en dat deed het ook. Hij was *Meldegänger* tijdens de Eerste Wereldoorlog, een koerier-te-voet in het Duitse keizerlijke leger die met militaire boodschappen tussen de loopgraven snelde. Hij was goed, kun je zeggen, want hij sneuvelde niet en kreeg voor zijn gedraaf een IJzeren Kruis opgespeld.

De *Führer* zat er elke dag, daar op de eretribune, naast Joseph Goebbels, Rudolf Hess, Julius Streicher en nog meer van dat fascistische tuig. Tijdens de openingsceremonie op 1 augustus 1936 kreeg de dictator een olijftak van de berg Olympus overhandigd door Spiridon Louis, de winnaar van de eerste olympische marathon van 1896 – als symbool van de liefde en de vrede. Een enorm orkest onder leiding van de beroemde, maar behoorlijk foute Richard Strauss speelde '*Deutschland, Deutschland, über alles*', gevolgd door het Horst-Wessellied – ja, het was me het feestje wel.

Maar een handje van de nazileider voor de zwarte Jesse Owens kon er na de 100 meter-finale, op maandag 3 augustus 1936, niet af. Dat verhaal verdient overigens wel enige nuancering, want geen énkele winnaar kreeg na de eerste dag van de Spelen een handdruk van Hitler. Dat was hem, nadat hij op de eerste dag wél handen had geschud van gouden – Arische – medaillewinnaars uit Duitsland en Finland, nadrukkelijk verboden door Henri de Baillet-Latour, de op dat punt dappere Belgische president van het Internationaal Olympisch Comité. Owens zelf vertelde ter plekke aan journalisten dat hij Hitler naar hem had zien wuiven, 'hij stond op en zwaaide naar me'. '*Hitler Salutes Jesse Owens*', kopte de *Pittsburgh Courier*.

Dat zag William L. Shirer, die het standaardwerk *The Rise and*

Fall of The Third Reich schreef, toch iets anders: 'Hitler draaide zich na Owens overwinning om, om met enkelen van zijn trawanten te praten.' Een van die *cronies* was Baldur von Schirach, leider van de *Hitlerjugend*. Von Schirach, die een Amerikaanse moeder had, suggereerde dat Hitler zich met Owens moest laten fotograferen, zo schreef hij in *Ich glaubte an Hitler*.

Hitler was woedend dat Von Schirach zoiets waagde voor te stellen. 'De Amerikanen zouden zich moeten schamen dat ze hun medailles laten winnen door negers. Ik zou nooit handen met ze schudden.'

Jesse Owens, die heet van de naald na zijn finale nog aan de pers vertelde dat Hitler naar hem had gezwaaid, vertelde de rest van zijn leven natuurlijk deze andere versie. Het was ook te mooi om waar te zijn. De machtigste man op aarde weigert de hand te schudden van de zoon van een zwart keuterboertje uit het nietige Oakville, Alabama.

Bij Anniston, net over de grens tussen Georgia en Alabama, verlaat ik Interstate 20. Via Gadsden rijd ik naar Cullman. De radio speelt, hoe kan het anders, 'Sweet Home Alabama', het officieuze volkslied van Alabama van Lynyrd Skynyrd:

Sweet Home Alabama
Where the skies are so blue
Sweet Home Alabama
Lord, I'm coming home to you

Het is inderdaad mooi land hier, glooiend, met netjes onderhouden huizen, de gazonnen kortgeknipt door dikbuikige mannen op hun groene John Deere-grasmaaiertjes. Elk tweede gebouw is een kerk, het volk hier is religieus, op het fundamentalistische af. Een billboard langs de weg meldt dat 'dit de dag is om gered te worden': *Are you ready to meet Jesus*? Jezus ziet eruit als een blanke hippie, de gitarist van – zeg maar – Lynyrd Skynyrd.

Sweet Home Alabama, yeah!

Hier, in Oakville, niet meer dan een *crossroad*, werd James Cleveland Owens op 12 september 1913 geboren als het laatste kind van Henry en Emma Owens, als broertje van Ida, Josephine, Lillie, Prentice, Johnson, Henry, Ernest, Quincy en Sylvester.

Sharecropper, keuterboertje, was vader Henry. Een analfabeet, in 1878 geboren als zoon van vrijgemaakte slaven. De voorouders van Henry waren rond 1830 door handelaren vanuit West-Afrika naar Amerika gebracht. De naam Owens stamde van de eerste Amerikaanse eigenaar, die ook nog Henry's overgrootmoeder bezwangerde – vandaar de wat lichte huidskleur van Jesse.

De slavernij was in 1913 al hoog en breed afgeschaft, maar veel was er sinds de *Emancipation* eigenlijk niet veranderd. Henry bewerkte samen met zijn kinderen het land van landeigenaar Big Jim Cannon, een uit Ierland afkomstige boer.

Eén muilezel bezat Henry, tweemaal per jaar kwam er tijdens feestdagen vlees op tafel. En eigenlijk was Henry nog goed af, hij had een groot aantal gezonde kinderen die de handen uit de mouwen konden steken. Betsy, de vrouw van buurman Joe Steppart, bleef maar miskramen krijgen, elke twaalf maanden kwam er weer een kruisje bij in het veldje achter hun hut. Bij de zoveelste miskraam stierf ook Betsy en verhing buurman Joe zich.

Jesse Owens zou later zeggen dat hij als snotneus niet eens wist dat er een béter leven bestond, elders in de wereld. Waar zou hij dat hebben moeten zien of horen, in een radio- en televisieloos tijdperk? In het huis van Big Jim, *The Man on The Hill*? Daar kwam hij nooit, dit was een land van apartheid: *No one called me nigger until I was seven*, zei Jesse later, hij was zeven toen hij voor het eerst een blanke van dichtbij zag.

Zo was het leven in Oakville, aan het begin van de twintigste eeuw. Geen zwarte in Alabama, in het héle Zuiden van de VS, die er iets van durfde te zeggen, laat staan iets aan durfde te doen. Je waagde het niet, in dit land van de Ku Klux Klan met hun brandende kruisen. Het opstandige tijdperk van Martin Luther King jr., van Mohammed Ali, van John Carlos en Tommie Smith lag nog ver voorbij de horizon.

Nee, Henry Cleveland Owens kende zijn plaats. J.C., zei hij eens tegen zijn zoon, *it don't do a colored man no good to get himself too high. Cause it's a helluva drop back to the bottom.*

'Als je hier ook maar enige ambitie hebt, dan blijf je niet. Dat was zo in de jaren dat Jesse hier woonde, en dat is nog steeds het geval, *yessir*.' Therman White, een zwarte tachtiger, zit op de crossroad van Oakville *The Decatur Daily* te lezen. Ook hij ging hier weg, toen hij veel jonger was. Je had een paar opties: je ging naar de fabrieken van Huntsville, iets verderop, of je trok naar het noorden, óf je nam dienst in het leger. White deed het laatste, hij diende in Korea, verbleef jaren op de vloot in de Middellandse Zee, zag nog wat actie in Vietnam, voordat hij in 1968 gebruikmaakte van een vroegtijdige pensioenregeling.

De zwarte Therman White en de blanke James Pinion gidsen me in Oakville door het Jesse Owens Memorial Park. Het groene, door vrijwilligers als Pinion en White liefdevol aangelegde park bevat een museum, vol foto's en andere parafernalia uit het leven van Owens, een verspringbak waarin de afstand (8.06 meter) is uitgemeten die Jesse in 1936 in Berlijn sprong en een replica van het hutje waarin de familie Owens aan het begin van de twintigste eeuw woonde.

Het is een houten huisje, de kinderen sliepen op de grond, pa en ma in een bed. In het achterkamertje staat een eettafel, met borden en bestek. Therman White: 'Bijna iedereen woonde vroeger in Alabama in zo'n huisje. Niet alleen zwarten, ook arme blanken.'

James Pinion wijst naar de crossroad: 'Het echte huisje van Jesses familie stond vijfhonderd meter verderop. Ons park ligt op de plek waar Jesse vroeger katoen plukte, exact hier op de plek waar wij nu staan.'

Tienduizenden zwarten uit Alabama trokken aan het begin van de twintigste eeuw naar het noorden van de Verenigde Staten, op zoek naar werk, op zoek naar iets meer menselijkheid. Na een confrontatie met Big Jim Cannon over de verdeling van een goede oogst van de hardwerkende familie Owens (Big Jim wilde zestig procent van de opbrengst, in plaats van de gebruikelijke vijftig procent), was ook voor Henry en Emma Owens de maat vol.

'Ik vind het niet eerlijk, deze nieuwe verdeling,' waagde Henry te zeggen, voor het eerst van zijn leven dapper.

'Eerlijk?' antwoordde Big Jim, 'wat heeft eerlijk hiermee te maken?'

'Mijn familie werkt er hard voor. Ik wil dat mijn zonen meer in hun leven bereiken dan ik heb gedaan.'

'Jouw zonen zullen helemaal niets bereiken in het leven. Ze mogen dankbaar zijn als ze blijven leven.'

En met die woorden draaide Big Jim zich om, en was ook het lot bezegeld van de familie Owens in Oakville. Henry wilde helemaal niet weg ('Er groeit daar geen maïs!'), hij kende geen ander leven dan het bestaan in Oakville, maar Emma zette door: *'It's crazy to go on like this, Henry!'*

De muilezel werd verkocht en zo stapte de familie Owens in 1924 in Decatur op de trein naar Ohio. Jesse, veel later: 'De handen van mijn vader trilden van angst toen we aan boord van de trein stapten.'

James Cleveland – 'JC' – Owens werd in 1913 in Oakville, Alabama geboren, maar Jesse Owens zag in 1924 in Cleveland, Ohio het licht.

'Hoe heet jij?' vroeg de blanke juf op de eerste schooldag.

'J.C. Owens, mevrouw,' klonk het antwoord in het zuidelijke dialect van de kleine knaap.

De juf, niet gewend aan de *southern drawl*: 'Jesse?'

'*Yes, ma'am*, Jesse Owens.'

J.C. durfde de blanke mevrouw niet tegen te spreken, dat had hij nog van zijn vader geleerd.

In Cleveland werd ook de atleet Jesse Owens geboren. De jonge Jesse was de enige van de kinderen die naar school ging, de rest moest uit werken. Op een dag werd in East 107th Street een wedstrijd over 100 yards gehouden. De vijftienjarige Jesse, die in Oakville vaak een uur achter elkaar hard had gelopen ('het enige moment dat ik me daar echt vrij voelde'), deed natuurlijk mee. Hij hield van sport.

Charles Riley, een blanke atletiekcoach, organiseerde de wedstrijd. Hij had Jesse al een tijdje onder zijn hoede op East Technical High School ('East Tech'), had al gezien dat hij een talent ('*those legs!*') in handen had. Maar die dag schrok hij toch van het resultaat van de 100 yards-race.

Jesse: Hoe snel was ik, coach?

Riley: Het kan niet…

Jesse: Wat is mijn tijd?

Riley: Elf seconden rond.

Jesse: Is dat snel?

Riley: Het is té snel. Geen enkele vijftienjarige kan zo snel zijn…

Een paar weken later haalde coach Riley de blanke sprinter Charley Paddock naar school. Paddock won in 1920 tijdens de Olympische Spelen van Antwerpen goud op de 100 meter. Vier jaar later, in Parijs, veroverde hij een gouden medaille met het Amerikaanse 4x100 meter team. Paddock maakte een onuitwisbare indruk op de jonge Jesse. Naar die Olympische Spelen, waarvan hij in Oakville nog nooit had gehoord, ja, dat wilde hij ook.

Die van 1932, van Los Angeles, kwamen nog te vroeg, hoewel Jesse dat jaar in Cleveland in juni als achttienjarige al wel een – vanwege te veel rugwind niet erkend – wereldrecord liep op de 100 meter: 10,3.

Hij wist zich een maand later niet te kwalificeren voor de olympische trials in Palo Alto. Ene Eddie Tolan, al 23 jaar, was die dag te sterk. Tolan zou tijdens die nu goeddeels vergeten Spelen van Californië in 1932, die ingeklemd zaten tussen die van Amsterdam (1928) en Berlijn (1936), als eerste zwarte Amerikaan twee gouden sprintmedailles winnen.

Jesse Owens' tijd zou nog komen, drie jaar later in Ann Arbor waar hij binnen 45 minuten zes (!) wereldrecords zou vestigen, en natuurlijk vier jaar later in het Berlijn van Adolf Hitler.

In Oakville kijken Therman White, James Pinion en ik naar een zwart-witfilm over het leven van Jesse Owens. Op de plek waar de familie Owens negentig jaar geleden katoen plukte onder een onbarmhartige zon is het anno 2007 goed toeven. Buiten klimt de temperatuur richting de veertig graden, binnen snort de airconditioning en werpt de frisdrankautomaat koude blikjes uit.

De film van Bud Greenspan, *Jesse Owens Returns to Berlin*, is uit 1966, precies dertig jaar gefilmd na de grote successen van de sprinter in nazi-Duitsland. We zien het Berlijnse Olympisch Stadion vanuit de lucht, gefilmd vanuit een helikopter. We dalen, maken een cirkelende beweging en zien dan een mannetje. Als we dichterbij komen, zien we wie daar loopt, in het midden van het stadion: Jesse Owens.

Een stem verhaalt van het jaar 1936, van het Duitsland van Hitler, van de Spaanse Burgeroorlog, van de Italiaanse inval in Ethiopië, destijds nog Abessynië genoemd. Het is de stem van Jesse Owens, die ons mee terugneemt naar het jaar 1936. Naar de blonde Luz Long, de Duitse verspringer, op wie Hitler al zijn *Reichs-*

marken had gezet, maar die het in de finale aflegde tegen Owens. Long en Owens, die bevriend raakten tijdens de Spelen, Long gaf Owens advies tijdens de voorrondes van het verspringen, toen de donkere Amerikaanse atleet met zijn aanloop schutterde.

'*My friend*' Luz Long, die in de boeken van Owens wordt beschreven als een tegenstander van Hitler, sneuvelde in 1943 tijdens de geallieerde invasie van Sicilië. Owens en Long, die tweede werd in de olympische finale, liepen na afloop van de wedstrijd met de handen over elkaars schouders langs de eretribune, waarop Hitler weer eens had moeten toezien dat het Arische ras toch niet zo superieur was. Hitler zou Long vervolgens, toen de Tweede Wereldoorlog drie jaar later was begonnen, voor straf naar de voorste frontlinies hebben laten dirigeren. Het zal een broodjeaapverhaal zijn, want dan heeft Long het nog lang volgehouden.

In de film van Greenspan zien we Owens met de zoon van Long, Karl, een blonde jongeman, die zijn vader nauwelijks heeft gekend.

En, eindelijk, in de film zien we Owens ook hardlopen, en allemachtig, wat kon die Jesse lopen. De atleten achter hem zien we worstelend naar de meet komen, Owens loopt gracieus rechtop naar de finish, op de 100 meter, op de 200 meter. Wat een fantastische, superieure stijl! Het zijn beelden die Greenspan heeft overgenomen uit de film *Olympia* van Leni Riefenstahl, de naziregisseur, die in opdracht van Goebbels en Hitler de Spelen van 1936 vastlegde. Het is een beroemde film, in aanleg bedoeld om de Duitse hegemonie van deze elfde Olympische Spelen vast te leggen. Hoe je er verder ook over denkt, Riefenstahl kón filmen, en in weerwil van haar opdracht gaf ze ruim baan aan Jesse Owens. Want laat er geen misverstand over bestaan, de zoon van *sharecropper* Henry Cleveland Owens is de held van haar film. Riefenstahl moet heimelijk verliefd zijn geweest op die donkere sprinter uit de VS. Haar stille boodschap aan de nazi's: kijk hier eens, naar deze atleet, híj is jullie superman.

Ook Luz Long speelt een rol in de film, daarnaast zien we Mack Robinson (zilver op de 200 meter) en Ralph Metcalfe (zilver op de 100 meter) nog voorbijkomen, net als Owens zwarte Amerikaanse atleten. Mack Robinson, de oudere broer van Jackie Robinson, de eerste zwarte Amerikaan die in de jaren veertig in de blanke Major League van het Amerikaanse honkbal mocht komen opdraven.

En dan is er in de film nog een rolletje weggelegd voor Tinus Osendarp, de Nederlandse sprinter die op zowel de 100 als de 200 meter brons pakte, ver achter Owens. Je ziet hem lijdend over de finish komen, geen partij voor de grote atleet uit de VS. Osendarp, de 'snelste blanke ter wereld'. Voor het nazivod *Der Angriff* was *der Holländer Osendarp* daarmee de echte winnaar van goud. De resultaten van de 'zwarte hulptroepen' van de Amerikanen telden immers niet...

Wanneer ik in Oakville vertel dat de nummer drie van Owens sprintfinales, de Nederlander Osendarp, later heulde met de nazi's in bezet Nederland, kijken ze daar in het filmzaaltje van het Jesse Owens Memorial Park toch wel van op. Aan de wand van het museum hangt wel een grote foto van Owens en Long, blond en zwart naast elkaar op de inloopbaan van het Berlijnse Olympische Stadion (tegenwoordig aan de Jesse-Owens-Allee gelegen), maar Osendarp ontbreekt volledig. Osendarp werkte voor straf na de oorlog in de mijnen in Nederland, vertel ik aan Pinion en White. *So, he was in the SS*? vraagt White. De ex-marineman wist niet dat er ook Nederlanders in dienst van de Duitsers vochten.

Jesse Owens Returns to Berlin is een mooie film, maar de regisseur had moeite om de film in de jaren zestig op de Amerikaanse televisie te krijgen. De militante jaren zestig, toen de zwarte Amerikanen massaal voor hun rechten opkwamen. Drie grote televisiezenders wezen de film af in de aanloop naar de Spelen van 1968, die van Mexico. Owens, die in tegenstelling tot de militante generatie atleten als Tommie Smith en John Carlos nooit een man van harde uitspraken was, zei cynisch tegen Greenspan: 'Laten we de negatieven uitzenden. Dan ben ik blank, en zijn de nazi's zwart.'

Een onafhankelijke sportzender durfde de film uiteindelijk wel uit te zenden, net voor het begin van de Spelen van Mexico, waar de zwarte atleten Smith en Carlos uit protest tegen het onrecht van de zwarten in de VS hun vuisten op het podium zouden ballen.

Luz Long sneuvelde bij de slag om San Pietro op Sicilië, Tinus Osendarp besloot landverrader te worden en Jesse Owens werd na 1936 een held in de Verenigde Staten.

Nou ja – hij werd eventjes een held, een paar weken stond zijn portret in alle bladen. Hij was nog in Berlijn, de tweede – atletiekloze – week van de Olympische Spelen moest nog beginnen, toen de succesvolle Amerikaanse atleten al op een tournee door Europa werden gestuurd. Iedereen wilde de zwarte Amerikanen zien lopen. Na een wedstrijd in Keulen gaf Jesse er de brui aan. Hij was moe, hij wilde naar huis, naar zijn vrouw Ruth, naar zijn kleine meiden. De Amerikaanse atletiekbond, onder leiding van de latere IOC-president Avery Brundage ('*Slavery*' Brundage, schreef Owens), dwong hem door te gaan, de tournee was lucratief voor de bond. De atleten, amateurs natuurlijk, kregen niets. Owens bleef weigeren en werd geschorst. Zo kwam hij een paar dagen later in New York aan. De ouders van Jesse, naar New York gereisd om hun zoon te begroeten, werden in vier hotels geweigerd. Pas in het vijfde, Hotel Pennsylvania, waren ze welkom – als ze de achteringang maar gebruikten. Thuis, in Cleveland, moest de olympisch kampioen gewoon weer achter in de bus plaatsnemen, zoals een zwarte behoorde te doen.

Hitler schudde hem niet de hand, maar president Franklin D. Roosevelt ontving de viervoudig olympisch kampioen ook niet in het Witte Huis. Er waren verkiezingen dat jaar, en de stemmen van de blanke bevolking van het zuiden waren te belangrijk. (Jesse kreeg, opmerkelijk, wel geld voor zijn steun aan de Republikeinse kandidaat, Alf Landon. Landon verloor kansloos van Roosevelt. Jesse: '*Poorest race I ever ran. But they paid me a lot...*')

Er was Jesse veel geld beloofd na Berlijn, maar toen hij eenmaal thuis was, bleef er weinig van die beloftes over. Hij verdiende geld als opzichter van een speeltuin, ging op tournee met de zwarte basketballers van de Indianapolis Clown, verleende diensten aan autobedrijf Ford, werkte in nachtclubs ('elke avond weer een messengevecht...'), verleende zijn naam aan een keten wasserijen. Toen dat laatste bedrijf eenmaal liep, verdwenen zijn twee blanke zakenpartners met het geld.

Voor die eerste generatie zwarte sporthelden, voor boksers als Jack Johnson en Joe Louis en atleten als Jesse Owens, was het leven niet makkelijk. Het centrale thema in hun biografieën bestaat uit één woord: racisme. Als Jesse met blanke teamgenoten voor zijn school naar wedstrijden reed, dan moest hij, wanneer zijn blanke collegasporters onderweg in een restaurant aten, in de auto achterblijven. Geen restauranteigenaar wilde immers niggers in zijn zaak. Het tijdperk van Tiger Woods, Carl Lewis en Michael Jordan lag nog lichtjaren weg.

Oh ja, ze waren succesvol, Owens, Johnson en Louis, maar ze werden door de blanke media net zo makkelijk weer uitgekost. Bokser Jack Johnson legde het aan met blanke vrouwen en werd een paria. Joe Louis, die in 1938 de Duitse 'nazibokser' Max Schmeling versloeg, kreeg problemen met drugs. Jesse Owens werd geschorst omdat hij weigerde de zakken van de atletiekbond te vullen – en geen journalist die het voor hem opnam.

Owens was nog geen 23 jaar toen hij als kampioen terugkwam uit Duitsland, maar hij heeft daarna – met dank aan *Slavery* Brundage – nooit meer een mooie atletiekwedstrijd mogen lopen. Kermisexploitanten lieten hem voor dollars tegen beroemde honkballers lopen, tegen hazewindhonden, Jesse sprintte zelfs een keer tegen zijn vriend, bokser Louis (Jesse liet Joe winnen).

En op tweede kerstdag 1936 sprintte Owens in Havana voor tweeduizend dollar tegen Julio McCaw, een renpaard. Jesse won, omdat Julio nogal was geschrokken van het startpistool, dat vlak bij zijn hoofd was afgeschoten.

Jockey Pepe: 'Als we een paar meter meer hadden gehad, dan waren we dwars over hem heen gereden en hadden we gewonnen.' 'Hem', dat was Jesse, die tegen verslaggevers vertelde dat het goed voelde om weer eens een sprint te lopen. Waarom hij tegen een paard had gelopen, wilde een van hen weten. 'Ik heb vier gouden medailles, maar die kun je niet eten…'

Van die eerste generatie zwarte sporters kwam Jesse uiteindelijk nog goed weg. Nee, hij deed het lang niet gek voor een joch uit Oakville, Alabama. Na de Tweede Wereldoorlog maakte hij deel uit van de groeiende zwarte middenklasse, eerst in Cleveland, later in Chicago, met om het jaar een nieuwe Buick en altijd keurig in het pak gestoken.

De kleinzoon van slaven, die op de lagere school nog stotterde dat het een lieve lust was, werd een begenadigd spreker. Aan sport deed hij niet langer, hij rookte minstens een pakje sigaretten per dag (longkanker zou hem als 66-jarige op 31 maart 1980 vellen), maar bij latere Olympische Spelen was hij een graag geziene gast, als '*inspirational speaker*', als radiocommentator. Hij maakte graag grapjes, ook over zijn huidskleur. 'Als jongetje was ik graag blank geweest, natuurlijk,' vertelde hij dan aan zo'n volle zaal. 'Op een dag liep ik in Cleveland onder een ladder door en viel er een blik witte verf over me heen. Ma, ik ben blank geworden, riep ik toen ik thuis was. Ga je wassen, snel, zei ze, anders ga je zonder eten naar bed. Maar ik was koppig, want ik was eindelijk blank. Toen mijn vader thuiskwam, rende ik naar hem toe: pa, ik ben blank! Ben je helemaal, zei hij, ga je snel wassen, anders zwaait er wat…'

Owens: 'Verdomme, ik was nog geen half uur blank of ik had al een hekel aan die zwarte klootzakken!'

Zijn luisteraars plat. Natuurlijk.

Toen in 1996 de Olympische Spelen naar Atlanta kwamen, kwam de olympische fakkel ook langs Oakville, vertelt Therman White. 'Stuart, de kleinzoon van Jesse, liep met de fakkel naar het park. Het was een emotioneel moment.'

Therman White en James Pinion liepen gezamenlijk ook een stukje met de fakkel door Oakville. Zwarte en witte handen, samen aan de olympische toorts, ruim zeventig jaar nadat Big Jim de familie Owens uit Oakville verjoeg. Twee jaar na de fakkeltocht, op 16 mei 1998, werd in het park door weduwe Ruth een eik, de 'Jesse Owens Gold Medal Oak', geplant. Het is, negen jaar later, nog geen groot exemplaar, maar één ding is duidelijk. Ook als de eik later volgroeid is, zal er nooit een strop over een van zijn takken worden geworpen.

Er is dus wel iets veranderd in Sweet Home Alabama, het land van James Cleveland Owens.

Marije Randewijk

De duivel kon hij niet steunen

Telkens als ze hem ernaar vragen, vertelt hij zijn verhaal. Soms vol passie en vuur, soms langzaam en vermoeid. Het put zijn gedachten uit. Hij bedenkt, verzint, fantaseert. Zijn moeder zou hem moeten kunnen horen.

Nooit beleeft haar zoon hetzelfde als de vorige keer. Oude hiaten verdwijnen, nieuwe dienen zich aan. Hij vertelt wat hij wil vertellen, afhankelijk van de dag, zijn gemoedstoestand, zijn gehoor. De waarheid kent hij niet, dus hoeft hij daar nooit mee te strijden. Soms verhaalt hij alleen maar over het leven dat hij had willen leiden.

Altijd als hij bij de episode over koning George I is aanbeland, zucht hij een keer diep. Alsof hij iedereen wil dwingen stil te staan bij zijn lotsbestemming. Alsof hij iedereen wil doordringen van diens eigen lotsbestemming.

Hij had in een paleis kunnen wonen, een Griekse vorst kunnen zijn, zich kunnen wentelen in Helleense weelde. Als de tijd kon worden teruggedraaid, zou hij alles zijn behalve dat wat hij nu is.

Hij heeft altijd gedacht hoe dankbaar het moet zijn om in rijkdom geboren te worden. Dan kun je vertellen over wat je bezit en hoef je je niet te schamen voor de schamelheid van je eigendommen. Dan was er iets om trots op te zijn en kon het leven niet anders dan zorgeloos voortkabbelen.

Zouden rijkaards dromen? En waarvan dan?

Hij droomde, dag en nacht, van een bed, een maal en van de warmte van iemand die hem lief zou hebben. Iedereen die hij sprak, zei dat hij niet veel van het leven vroeg. Allemaal begrepen ze zijn verlangens. Maar hij had zijn zoektocht bijna opgegeven.

Dat hij moed vindt om door te gaan, heeft niets met hem te maken. Hij leeft om een verhaal te vertellen, het verhaal van zijn moeder. Het gaat nooit om hem, het gaat altijd om haar. De mensen luisteren ademloos en vol schaamte naar zijn stem. Dan komen de woorden vanzelf, en voelt hij zich rijker dan de rijkste rijkaard. Daarvoor hoeft hij niet eens te dromen.

Zo is het niet altijd geweest. Lang kende hij de familiegeschiedenis niet. En nog zijn niet al zijn vragen beantwoord.

Wat hij weet, hebben anderen hem verteld. Het lot heeft hen zijn kant opgedreven. Tot die tijd kende hij zijn werkelijke naam niet eens. Hij was Yannis, een achternaam had hij op straat niet nodig. Niemand die hem er ooit naar had gevraagd. Hij was arm, zonder huis en zonder doel. Zijn voeten bepaalden waar hij heen ging. De honger vertelde hem dagelijks of hij leefde of al dood was.

Anderhalf was hij toen zijn moeder hem achterliet in Philimona. Als een vriendelijke officier hem jaren later niet had uitgelegd waarom, zou hij het nooit hebben begrepen. En het haar zeker nooit hebben vergeven.

Nu vertelt hij bijna dagelijks over de muze van de tragedie, Melpomene, een van de negen uit de Griekse mythologie. Zijn moeder is een godin.

Zijn stem trilt als hij dat zegt. Want was is hij dan?

Over zijn vader zwijgt hij. Verbitterd gunt hij hem geen woord van het epos. Vrouw en kinderen laat niemand achter. Dat zijn vader bij zijn geboorte niet meer leefde, wil hij niet geloven. Zijn moeder was aantrekkelijk genoeg, ze zou zeker zijn hertrouwd.

Misschien wel met de officier die hem was komen vertellen dat zijn echte naam niet Yannis maar Louis was. De man had die naam onthouden omdat de winnaar van de marathon tijdens de eerste Olympische Spelen ook zo heette en er die dag een vrouw op hem was afgekomen die beweerde dezelfde afstand afgelegd te hebben als de herder uit Maroussi. Jaren heeft hij gezocht naar iemand die haar verhaal verder kon vertellen.

De vrouw liet hem, en een aantal van zijn maten, op een stuk papier naam een handtekening zetten, daarnaast schreef ze de tijd en de plek waar ze zich bevond. Op het verfomfaaide vel stond al dat ze om acht uur 's ochtends nog in Marathon was geweest, ondertekend door een onderwijzer, de burgemeester en een magistraat. Zo kon ze bewijzen dat ze op zaterdag 30 maart 1896 van Marathon naar Athene was gelopen.

'Waarom heb je je zo uitgeput?' had een van de officieren gevraagd.

'Misschien dat de koning mijn kind nu zal opnemen in zijn paleis,' was haar maatheldere antwoord geweest. 'En kroonprins Konstantijn mij in zijn hart.'

Dicht tegen haar schouder drukte ze een zeventien maanden oude baby. 'Louis,' stelde ze hem voor. 'En ik heet Stamata Revithi; die naam mogen jullie nooit meer vergeten.'

Met Kerstmis was haar andere zoon, pas zeven jaar oud, overleden. Hij had geschreeuwd van de honger. Soms kon ze hem in haar hoofd nog horen. Haar tweede kind zou het beter krijgen.

De officieren wilden haar nog meer vragen. Maar als een wervelwind verdween ze, blootsvoets. 'Ik ga naar Philimona. Daar zal ik ze vertellen hoelang ik erover gedaan heb en iedereen uitnodigen die het aandurft om tegen mij te racen,' zei ze bij het afscheid.

In Philimona zetelde het Griekse olympische comité. Daar zouden ze haar historische prestatie op schrift stellen. Zonder die erkenning kon koning George I haar nooit een blik waardig gunnen.

De woorden van de vriendelijke officier stokten. 's Avonds was hij nog op zoek naar haar geweest, maar bleek ze onvindbaar. Later, veel later heeft hij over haar gelezen en vernomen dat er in Philimona een anderhalf jaar oude baby was gevonden. Op het briefje dat in de deken was gewikkeld, zou geschreven zijn dat 'de koning goed voor zijn nieuwe zoon moest zorgen'.

Het was die dag dat Stamata Revithi in eigen land Melpomene werd gedoopt, muze van de tragedie.

De hoge heren van het Griekse olympische comité hadden niet naar haar willen luisteren. Ze kon van Marathon naar Athene hebben gelopen, het bewees niets, alleen maar dat ze een zieke vrouw was. Vrouwen waren niet geschikt om zich op die manier uit te putten, zo had de Franse aristocraat Pierre de Coubertin zelf verklaard.

Vijfenhalf uur deed ze over de 42 kilometer, tweeënhalf uur langer dan de winnaar bij de mannen, Spiridon Louis. Dat ze sneller zou zijn geweest als ze niet was gestopt om naar de schepen te kijken, veranderde niets aan haar lot. Wanhopig wierp ze zich aan hun voeten. Ze krijste, ze smeekte. 'Waarom luistert er niemand!' Minachtend keken ze op haar neer en riepen de bewakers op de vrouw uit het bureau te verwijderen. Daarmee was het alsof het doodvonnis was uitgesproken en onmiddellijk voltrokken, vertelt haar zoon op fluistertoon.

Wat zijn moeder als uitvlucht had gezien, was een leugen gebleken. Daar kon ze haar zoon niet in mee sleuren. Ze liet hem achter in Philimona. Al dagen was ze niet in staat geweest hem te voeden. 'Ik heb haar nooit meer gevonden,' vertelde de officier die een tweede keer vergeefs naar haar had gezocht. 'En jou ook niet meer.'

'Als ze leefde, zou ze hier zijn om haar eigen verhaal te vertellen,' begint haar zoon het epos steevast.

Jarenlang is hij op zoek geweest, naar haar, naar zijn eigen verleden, naar wie hij is. Met dezelfde vastberadenheid als zijn moeder van Marathon naar Athene was gerend. Hij had dezelfde weg afgelegd, op zoek naar de overlevering. Soms wandelend, soms hardlopend, zoals zij had gedaan.

Hij sloot onderweg weleens aan bij een groepje, dat om het

hardst liep. Dan probeerden ze hem weg te jagen. Hij hoorde er niet bij. Zonder startnummer liep hij in de weg. Maar vaak was hij als eerste bij de finish en scheurde daar het papier dat op de lijn omhoog werd gehouden kapot. Later hoorde hij pas waarvoor het diende. 'Rare gewoonte,' mompelde hij.

Hij maakte zich altijd zo snel mogelijk uit de voeten. Op het podium zouden ze hem toch niet roepen. Hij was niemand. Hij kon zeggen dat hij de zoon van Stamata Revithi was, er gingen geen deuren voor hem open. Griekenland is het land van de historie en beschaving, maar wat niet terugging naar de tijden voor Christus was nooit oud genoeg.

Wie niet betaalde, maakte geen aanspraak op de prijzen. Hij vond het maar dom. Het ging er in wedstrijden toch om wie de snelste was? Wie betaalde er nu geld om te mogen aantonen dat je de beste van allemaal was?

Hij schreef zich nooit in. Hij liep gewoon mee als hij daar zin in had. Eigenlijk deed hij precies wat zijn moeder had gedaan. Als hij zijn verhaal vertelt, zegt hij: 'Ik treed in haar voetsporen, ik weet nu hoe het is om je buitengesloten te voelen. Hoe het is om veroordeeld te worden, alleen omdat je anders bent.'

Zijn aanklacht bleef vaak onbeantwoord. Het is ook niet de gehele waarheid. Hij kan niet weten hoe zijn moeder zich heeft gevoeld. Hij heeft het wel geprobeerd, om haar te zijn. Maar hij kon het niet, bang als hij was een bijzondere vrouw tekort te doen.

Tranen met tuiten heeft hij gehuild. Zo graag wilde hij zich in haar verplaatsen. Hoe ze was en wat ze deed, zou vertellen hoe zijn toekomst eruitzag, wat hem als zoon nog te wachten stond. Jarenlang heeft hij moeten gissen naar wie hij was, en nu hij wist waar hij vandaan kwam, restte er nog altijd alleen zijn fantasie om te bepalen waar hij naartoe moest. En zijn verbeeldingskracht bleek niet altijd een goede raadgever.

In zijn gedachten nam zijn moeder hem bij de hand. Hij hoopte dat ze wist welke weg in te slaan. Maar het applaus dat ze eens had geoogst van die enkeling lag al ver achter de horizon.

Vreemd eigenlijk, vond haar zoon, dat zovele jaren later op de route velen nog altijd zwegen over de pionier van de vrouwenmarathon. Een boer vertelde hem dat ze was beschimpt, bespuugd en uitgejoeld. Toen hij vroeg waarom, haalde de man schuchter zijn schouders op. 'Het was niet hun schuld, het was haar schuld,' riep hij boos, om hem vervolgens zijn erf af te jagen.

Met haar talent, obsessie en sterke benen bracht ze mannen in verwarring. Sport was voor vrouwen in de negentiende eeuw geen middel om hun maatschappelijke positie te verbeteren, zoals zij wilde. Dat was hem helder geworden. Dat kon alleen via het huwelijk. Dat zijn moeder daar op uit was door met de marathon zo veel indruk te maken op kroonprins Konstantijn dat deze met haar zou trouwen, geloofde niemand. Alsof een welgestelde machthebber zich zou laten schaken door een arme boerenmeid.

'Maar ze durfde tegen het oordeel van de raad in te gaan,' zegt haar zoon ferm. Die verbood haar deel te nemen. Ze was te laat om zich nog in te schrijven, was de motivering van hun besluit. Ze was perplex. De man die haar had uitgelegd wat een marathon was, had met geen woord gerept over een inschrijving.

Onderweg van Piraeus naar Athene was ze een hardloper tegengekomen die haar had gevraagd waar ze heen ging.

'Naar Athene,' antwoordde zij. Daar lag haar geluk.

'Waarom te voet en met een kind op de arm?' wilde hij weten.

'Ik kan geen ticket kopen, ik heb geen geld,' vertelde zij weer.

'Je moet meedoen aan de marathon,' adviseerde hij, terwijl de man wat muntstukken uit zijn zak haalde om haar te geven.

Ze wist niets van de marathon, maar vanaf dat moment liet het idee haar niet meer los. De zorgen begonnen vat op haar te krijgen en 42 kilometer hardlopen leek een gemakkelijke uitweg uit de armoede. Ze zou haar zoon daarmee het leven kunnen schenken dat zij zichzelf had toegewenst. Hij zou baden in luxe, nooit honger hebben en genieten van alles wat zijn moeder hem ooit had gegund.

Stamata Revithi was een tengere blonde vrouw, met een sterke eigen wil. Ze leek door de problemen ouder dan de dertig jaar die ze in werkelijkheid was, maar lopen kon ze. Ze had nooit anders gedaan. Ze was er bovendien van overtuigd dat vrouwen op de lange afstand niet veel hoefden onder te doen voor mannen. Eén race zou haar leven veranderen, daar was ze van overtuigd.

Op 8 maart, op wat later dankzij haar de Dag van de Vrouw zou worden, oefende ze voor de eerste keer voor de marathon. Ze liep de afstand alleen, deed er vier uur en dertig minuten over en stopte een keer om wat sinaasappels leeg te zuigen, vertelde ze de commissie die ze probeerde te overtuigen de weigering om haar te laten deelnemen in te trekken. Dat de mannelijke deelnemers verklaarden dat zij geen problemen hadden met haar aanwezigheid, werd weggelachen.

De mannen waren sceptisch. 'Ik ben bang dat tegen de tijd dat je bij het stadion bent het publiek al naar huis is,' grapte een deelnemer uit Chalandri. Stamata beet van zich af en vroeg hem vriendelijk vrouwen niet te beledigen. 'Wij zijn altijd toppers geweest, terwijl jullie vernederd zijn door de Amerikanen,' reageerde ze ad rem. Een stilte viel.

Drieënhalf uur zou ze erover doen, schatte ze toen haar ernaar werd gevraagd door verslaggevers die op haar verhaal waren afgekomen. Ze droomde dat het goud in haar schoot werd gelegd. 'Wie weet? Mijn hart zegt dat het zolang meekan als mijn benen het volhouden,' riep ze volgens Athanasios Tarasouleas, die in *Acropoli* verslag deed van zijn vreemde ontmoeting in Marathon. 'Jullie zullen trots op me zijn als ik Athene haal en mij nooit meer vergeten,' zei Stamata tegen alle omstanders die zich op het marktplein verzamelden. Velen schudden het hoofd, zo ook Papagianni Velioti. De koppige, tengere vrouw joeg hem de stuipen op het lijf. Ze heeft hem om zijn zegen gevraagd, gesmeekt bijna. Die weigerde de oude priester haar.

Hij wilde niet dat ze zich zou uitputten, dat ze flirtte met de dood. 'Een zegen kan ik alleen maar geven aan hen die officieel zijn erkend als atleet,' verklaarde hij zijn weigering. Het was de holle, vastberaden blik van de vrouw die hem had geraakt. De duivel kon hij niet steunen.

Eén dag na de officiële eerste olympische marathon liep Melpomene haar wedstrijd. Om acht uur in de ochtend vroegen een leraar, de burgemeester en een magistraat bewijzen dat ze op die tijd nog in Marathon was. Vijfenhalf uur later zetten drie officieren hun handtekening en verklaarden daarmee dat ze de afstand had volbracht. Een ronde door het stadion was haar niet gegund. Ze liep eromheen en stopte in Parapigmata, bedekt door zweet en stof. Soms vertelt haar zoon het verhaal anders. Dan laat hij zijn moeder op dezelfde dag starten als Spiridon Louis en haar, buiten het zicht van de officials, tussen de zeventien deelnemers glippen.

Halverwege begint ze dan de eerste mannen in te halen. Zelf de Australiër Edwin Flack, al winnaar van de 800 en 1500 meter en deelnemer aan het tennistoernooi, kan haar niet bijhouden en stort in. Hij wordt in een wagen gelegd en naar het stadion gebracht waar hij op tijd is om de huldiging van Spiridon Louis bij te wonen.

Zijn moeder is dan nog bezig met haar eigen marathon. Hij laat haar finishen in vierenhalf uur, een uur sneller dan de officier hem had verteld. Nog nooit heeft hij haar laten winnen. Hoe graag hij dat ook wil. Als hij zijn ogen sluit, ziet hij zo het triomfantelijke gezicht van zijn moeder voor zich. Maar dan zou hij een sprookjesverteller zijn en historisch erfgoed verkwanselen. Haar verhaal is echt.

In de wereld zou er geen loper mogen zijn die de naam Stamata Revithi of Melpomene niet kent. Zover is haar zoon nog niet. Hij blijft vertellen, tot de godin van de tragedie hem komt halen.

Zonder haar lijdensweg is hij een man zonder trots. Zijn leven zou zinloos zijn. Zonder haar had die Griekse officier nooit tegen hem gezegd dat hij een kind van zijn moeder is.

'Hardlopen kan ik als de beste.'

Leon Verdonschot

Vijf uur en nog iets

'Hóélang?'

'Ruim vijf uur. Ruim vijf en een half zelfs, volgens mij.'

'Hoezo, "volgens mij"? Alsof je dat niet meer weet. Het is pas drie jaar geleden.'

'Nee, dat weet ik dus niet meer precies. Omdat het daar ook niet om ging, om die tijd. Het ging om het uitlopen. Nou: ik héb hem uitgelopen. Dat telt. Alleen dat.'

'Volgens mij wil je het gewoon niet zeggen. Ik google gewoon even, want al die uitslagen van New York zijn tot het einde der tijden terug te vinden. Hier Verdonschot, Leon: 5'36".' Buldergelach. 'Vijf uur en zésendértig minuten. Jezus, man. Zelfs René Froger rende hem sneller. Willem-Alexander ook! En Gordon eveneens.'

'Die loopt geen marathons.'

'Zou hij het wel doen, dan was hij sneller dan jij.'

'En wat is je punt?'

'Dat je hem even goed niét kunt doen als je hem zo langzaam rent. Zover er sprake is van rennen. Haha! Sorry. Maar serieus: heb je wel al die tijd gerénd?'

'Jawel. Ik heb ook een video-opname van mijn aankomst bij de finish. In twee versies: in *real time*, en in slowmotion. Ik geef onmiddellijk toe dat je bij die eerste versie even denkt dat het al de tweede is, maar toch. Het is sneller dan snelwandelen, dus is het hardlopen.'

'Maar was het nog wel binnen de toegestane tijd?'

'Er is in New York geen maximaal toegestane tijd.'

'Fijn voor jou. En degenen na je, als die er waren. Boven de vijf uur wordt het wel wat gênant, vind je niet?'

'Nee, dat vind ik niet. Een marathon uitlopen is nooit gênant. Dat hebben ze in New York goed begrepen. Of wil je beweren dat de marathon van New York een kneuzenimago heeft?'

'Heb je wel een mooie loop? Of ben je zo'n sjokker?'

'Zo'n wat?'

'Zo'n sjokker. Je weet wel, zo'n beginnende loper met overgewicht, een vuurrood hoofd en een getergde blik, met zo'n outfit dat een soort voorbehoud lijkt uit te stralen. Die mensen hebben zich voorgenomen dat er straks, als deze nieuwe bezigheid een echte hobby wordt in plaats van de door huisarts, vrienden of vrouw aangeprate plicht die het nu is, ook iets als comfort bij mag komen kijken.'

'Nog altijd beter dan het tegenovergestelde, dunkt me: de beginneling die denkt dat het vanzelf gaat als-ie eerst maar een paar honderd euro stukslaat in een sportwinkel. Nee, ik strompel niet voort als een hobbezak. Maar ik heb ook niet dat blijmoedige, schijnbare gebrek aan besef van eigen lichaamsgewicht, zwaartekracht, gewrichten en ondergrond dat je bij doorgewinterde marathonlopers ziet. Als jouw sjokker in gracieus opzicht een nul is en de marathonloper een tien, dan zit ik op drie, zeg maar.'

'Je zet je voeten toch ook helemaal verkeerd? Uit elkaar, bedoel ik.'

'Ja, wrijf het nog even in. Klopt. Mijn ex zei, voor ze mijn ex werd – maar dat heeft hier niets mee te maken – dat ik loop als Donald Duck. Met mijn tenen links en rechts dus veel verder uit elkaar dan de bal van mijn voeten. Erg elegant oogt dat niet, finishfoto's zien er altijd uit alsof ze ongelukkig zijn genomen. Integendeel, het zijn feilloze registraties van een ongelukkige werkelijkheid. Daarom heb ik ook zo'n tyfushekel aan het kopen van nieuwe schoenen bij winkels waar je eerst onder het oog van de keurmeester een stuk moet hardlopen. Krijg ik van die tips om beter te lopen. Ja, bedankt, maar 32 jaar te laat. Tegenwoordig neem ik gewoon mijn oude schoenen mee en laat ik zien hoe volkomen asymmetrisch, schots en scheef die zijn afgesleten. Dat lijkt me wel duidelijk genoeg.'

'Maar als je zo weinig eh… zo weinig talént hebt, eigenlijk – mag ik dat zo stellen?'

'Ja, hoor.'

'Wat is er dan leuk aan? Ik bedoel: kun je niet beter iets doen waar je ook een zekere aanleg voor hebt?'

'Ik vind talent geen vereiste voor voldoening. Iets presteren ondanks een gebrek aan talent is minstens zo bevredigend. Ik denk dat weinig lopers regelmatig zo trots op zichzelf zijn als ik was toen ik in New York bij de finish aankwam. Mijn sympathie voor de underdog neemt niet af als ik zelf die underdog ben.'

Gelach. 'Je bedoelt: je kwam huilend over de finish? Na ruim vijfenhalf uur zullen sommige toeschouwers dat als een uiting van iets anders dan trots hebben geïnterpreteerd, vrees ik.'

'Op de eerste plaats was mijn grijns op het zelfvoldane af, dus niet mis te verstaan. En op de tweede plaats kunnen die toeschouwers me gestolen worden. Hardlopen is een hoogst individuele bezigheid.'

'Oh ja? Waarom zijn lopers dan altijd zo lyrisch over het warme bad dat het publiek in New York schijnt te zijn? En zo cynisch over de koude douche die Amsterdam naar verluidt is?'

'Je noemt nu ook meteen de twee uitersten. Aankomen in een leeg Olympisch Stadion op het eind kan in Amsterdam niet meer alsnog die chagrijnige zondagswinkelaars compenseren. Maar een paar weken daarvoor, tijdens de Damloop, lijkt diezelfde stad even de meest gastvrije van het land. Ieder jaar opnieuw "Opzij opzij opzij" van Herman van Veen uit gettoblasters, spandoeken met "Hier is de finish" bij een kroeg, mensen die non-stop op de lopers proosten. Die volkse vrolijke sfeer daar is onvergetelijk. Net als de sfeer in New York, vooral in The Bronx en in Central Park. Een vrouw die een tijd naast me hardliep, heette Catherine, en had haar naam op haar shirt gespeld. Wildvreemden renden achter de hekken tientallen meters met haar mee: "*Come on Cathy, come on girl, I know you can make it.*"'

'Dat bedoel ik. Dat scheelt toch?'

'Welnee. Het is leuk, lief en vast nog steeds een mooie herinnering. Maar geen voorwaarde voor succes. Catherine had het anders ook wel gered. Ze heeft ook getraind zonder joelende mensen, en eveneens doorgelopen op stille stukken. Ik moet trouwens eerlijk zeggen dat ik veel aanmoedigingen niet meekrijg: ik ren altijd met muziek op. En bij wedstrijden met interviews.'

'Met interviews?'

'Ja. Tegenwoordig heb ik een Ipod, maar daarvoor liep ik hard met een minidiskspeler en nog eerder met een walkman. In Egmond drukte ik bij de start een keer op *play*, en bleek ik de verkeerde minidisk bij me te hebben. Geen hardcore en punkmuziek, maar een opname van een talkshow, met lange gesprekken en af en toe een nummer van Tindersticks of Johnny Cash. Die muziek viel me zwaar, ik kan alleen hardlopen op herrie, voortgestuwd door snelle drums. Van Tindersticks word ik loom. Dan wil ik niet hardlopen, maar liggen. Maar die gesprekken, die vielen me eigenlijk wel mee. Voor je het weet, ben je een kwartier en ik dus tweeënhalve kilometer verder.'

'Wat nam je bij die marathon dan mee?'

'Voor de eerste twee uur niks, toen liep ik samen met mijn trainingsvriend. En had ik iets om naartoe te leven: het derde uur, met opzwepende muziek. Voor het vierde uur had ik een televisie-interview van Ischa Meijer met oud-PSP-kanon Fred van der Spek op minidisk gezet. Van der Spek blijft daarin betogen dat zelfs de ijscoman gesocialiseerd moet worden, en hij foetert op de verderfelijke reclameblokken die het gesprek onderbreken. Ischa Meijer vindt Van der Spek een sympathiek fossiel, en blijft maar tegenwerpen: "Maar Fréd! Fréd!" haha.'

'Klinkt amusant. Maar niet om een marathon op te rennen, in Néw York nota bene. Valt daar niet genoeg te zien en te horen?'

'Het is een marathon, geen sightseeingtour. De ziel van een stad openbaart zich heus niet aan je als je er zo snel mogelijk doorheen rent. Hoogstens kun je ontroerd raken door de combinatie van trots, gastvrijheid en sporthistorisch besef die je in New York voelt. Als je naderhand in zilverfolie ingepakt terug naar de metro loopt, bijvoorbeeld, en wildvreemden jou bemoedigend op je schouder slaan. Blijft mooi hoe Amerikanen prestaties waarderen, niet in het minst sportieve.'

'Maar naar Ischa Meijer en Fred van der Spek luisteren, dat leidt toch enorm af van het rennen? Van je afwikkeling, je tijdschema, je s...?'

'Doe ik niet, heb ik niet. Dat is het voordeel van geen talent hebben: ik hoef geen puntjes op de i te zetten. Ik loop hard als een dommekracht: hoor het schot, begin hard te lopen en houd dat vol tot ik het bordje FINISH zie. Zo simpel is het. Natuurlijk reken ik wel mee als ik onderweg de tussentijd zie, maar ik loop altijd rond de tien kilometer per uur. Loop ik sneller, dan merk ik dat meteen, want dat houd ik het niet vol. Loop ik langzamer, dan moet ik eigenlijk sneller, maar waarschijnlijk gaat dat dan niet meer, anders was ik in eerste instantie niet langzamer gaan lopen. Ik ga niet beweren dat je op zo'n onnozele wijze tot grootse prestaties komt, maar ik vind het wat pretentieus om hele debatten te voeren over voeding en koolhydraten stapelen en welke sportdrankjes wel en niet, wanneer ik al blij ben dat ik de finish haal. Bovendien vind ik al dat *nerd*-gelul nog vermoeiender dan het lopen zelf.'

'Wat draaide je na dat interview eigenlijk? Een hoorspel? Een voorleesboek?'

'Nee, weer muziek. Alleen had ik me daar verrekend: ik had nog maar een uur aan muziek bij me. Die laatste 36 minuten moest ik die minidisk opnieuw draaien. Toen viel het wel heel pijnlijk op hoezeer mijn tempo was gedaald: opeens deed ik anderhalf nummer over dezelfde afstand als eerder één nummer.'

‘Heb je met die vriend al die tijd getraind?’

‘Ja, wel voor de marathon. Daar heb ik bijna net zulke goede herinneringen aan als aan de marathon zelf. We volgden zo’n twaalfwekenschema. Dan ben je heel, heel veel uren per week samen. En na de zomer werd het al snel donker ’s avonds. Samen zwijgend hardlopen in dat donker, alleen af en toe een veelbetekenende blik uitwisselen: je conditie groeit erdoor, maar je vriendschap ook. Het eerste half uur, drie kwartier, namen we de afgelopen dag door. Daarna trad een soort geconcentreerde stilte in. Het mooiste moment was de eerste keer dat we boven de dertig kilometer trainden, voor ons allebei ook meteen de eerste keer dat we zo’n lange afstand liepen. We waren vooraf zelfs enigszins gespannen. We hadden een route uitgestippeld door een gebied buiten Utrecht dat we allebei niet kenden. In het pikkedonker holden we door een grote, brede straat met om de paar honderd meter aan de linkerkant een enorm huis, meestal een boerderij. Na een tijdje hoorden we in de verte muziek. We keken elkaar even aan, maar holden zwijgend verder, alsof we het allebei verkeerd hadden gehoord. Maar de muziek werd steeds harder, we liepen er duidelijk naartoe. We naderden het volgende huis en de muziek was inmiddels heel hard, maar we zagen nog steeds niet wat of wie de muziek voortbracht. Tot we iets voorbij het huis waren en een grote schuur zagen. Die stond open. En binnen, in het volle licht van een paar tl-lampen, stonden vier jongens een cover te spelen van hardrockband Megadeth: “Symphony of Destruction”. De zanger headbangde en krijste precies zo hysterisch als Megadeth-zanger Dave Mustaine. Omgeven door niets dan weiland stonden daar vier intens hardrockende pubers, met geen benul dat op een paar meter afstand, midden op die donkere straat, twee doorweekte mannen gierend van het lachen naar hun privéconcert stonden te kijken.’

‘Dat lijkt me eigenlijk leuker dan zo’n loopwedstrijd zelf, zeker zo'n marathon in New York. In die drukte kún je toch niet eens rennen?'

'Lopen is een hoogst individuele aangelegenheid. Ik vind het wel prettig om dat een paar keer per jaar in een collectieve sfeer te ondergaan, vooral omdat collectiviteit zich bij hardlopen eigenlijk beperkt tot het in dezelfde omgeving op hetzelfde tijdstip met veel anderen hoogst individueel sporten. Dat af en toe iemand je dan in de weg loopt, nou ja, dat is dan maar zo. De elegante wijze waarop lopers daarmee doorgaans omgaan, tekent de hoge mate van beschaving van deze sport. Van trouwens álle sporten waarbij je niet primair een ander, maar jezelf moet verslaan.'

'Ja, dat klinkt mooi, maar jij hebt gemakkelijk praten: je loopt zelf meer mensen in de weg dan zij jou.'

'Da's waar. Dat is het lot van de trage loper: in het begin loopt hij nog best veel andere lopers voorbij. Maar zo gauw de posities in die sliert mensen min of meer zijn bepaald, wordt hij zelf vooral ingehaald. Als goede lopers aan de horizon een groepje of een losse loper zien opdoemen, weten ze waarschijnlijk al dat ze die uiteindelijk voorbijgaan. Voor lopers van mijn kaliber is het hoogst haalbare dergelijke schade te voorkomen. Ik kijk achter me, zie andere lopers en hoop dat het ze niét lukt.'

'Je rent voor jezelf, volgens je eigen normen, hoogst individueel en al die andere blabla, het zal wel. Maar je maakt mij niet wijs dat het niet vernederend is om steeds ingehaald te worden.'

'Soms wel. Vooral als de langere lopen later starten en ons, de slomen, vervolgens inhalen. En dan niet eens triomfantelijk, maar met een pijnlijke vanzelfsprekendheid. Mijn eerste auto was een Daihatsu Cuore uit 1984, een driecilinder. Berg af, wind mee haalde hij bijna honderd kilometer per uur. Ik ging met die auto op vakantie naar Frankrijk en heb tijdens de volledige heenweg drie auto's ingehaald. Twee sleepten een caravan mee, één was een camper. Op een gegeven moment zoefde op enorme snelheid, althans zo leek het vanuit de Daihatsu, een auto voorbij op de linkerweghelft die ik alleen kende van het uitzicht erop vanuit mijn linkerraam. Het was een Eend. Dat gevoel, daar lijkt het soms op. Maar het verbleekte allemaal bij New York. Bij de start had ik al gezien dat vrij veel mensen meeliepen voor een specifiek doel. Het eren van hun aan wapengeweld overleden zoon, het uitdragen van liefde voor hun vrouw, het bij elkaar lopen van geld voor een fonds. Sommigen van die mensen hadden niet alleen een tekst op hun shirt, maar zelfs speciale kleding aan. Na een uur of vier hoorde ik opeens vlak bij me een raar geluid. Mijn minidiskspeler stond heel hard, maar dit geluid was harder. Het was dof en zwaar. Als van onwaarschijnlijk grote platvoeten, landend op het asfalt. Ik zag dat kinderen langs de kant lachten, en niet om mij, of de twee lopers rechts van me. Toen liep hij naast me, een seconde of twee, om me vervolgens voorbij te snellen. SAVE THE RHINO.ORG stond in grote letters op zijn rug. Zijn grijze schuimrubberen pak reikte van zijn voeten tot zijn onder een enorm masker verscholen hoofd. Het was indrukwekkend dik en ongetwijfeld heel warm. Oncomfortabel en bloedheet: de slechts denkbare loopuitrusting. Maar hij liep me voorbij met het speelse gemak van een hinde. Mijn eerste marathon, in New York, en zojuist ingehaald door een neushoorn van schuim. Kan ik je nog wijsmaken dat dat níet vernederend was?'

Andermaal buldergelach. 'Bestaat dáár geen videoband van? In slowmotion, graag.'

Dirk van Weelden

Onbestrafte hoogmoed

De Ethiopiër wordt nerveus. Dat de donkerharige jongen de eerste ronde op kop liep, had hij verwacht. En ook dat de blonde, de lokale held, daarna de kop zou overnemen. De blonde staat bekend als een lefgozer en een vechtlustig baasje, maar diens werkelijke talent ligt eerder op de vijf en tien kilometer, niet op de afstand van deze wedstrijd, de 1500 meter. Je ziet het aan zijn bouw. Zijn bovenlijf is wat breder en gespierder dan dat van de meeste andere middellangeafstandlopers. Je ziet die kracht werken als hij loopt. Hij kan niet tippen aan de sierlijke, moeiteloze tred van de Ethiopiër, wiens persoonlijk record op deze afstand veel scherper ligt dan dat van de Amerikaan, die juist alle nationale studentenrecords op de twee mijl, de drie mijl en de vijf kilometer in zijn bezit heeft. Bovendien beschikt de blonde niet over een goede eindspurt. Pure snelheid moet de Ethiopiër dus de overwinning brengen. Gewoon op souplesse volgen en in de laatste halve ronde iedereen verslaan in een lichte stijl.

Nadat de blonde jongen aan het begin van de tweede ronde de kop nam, is hij het tempo gaan opvoeren. Iedere tweehonderd meter doet hij er een schepje bovenop. De Ethiopiër had deze tactiek wel verwacht, maar de blonde blijft versnellen. Hij schrikt van het contrast tussen de kalmte waarmee hijzelf de wedstrijd is ingegaan en de agressie die uit de bewegingen van de koploper spreekt. Heeft hij die Amerikaan onderschat? De menigte op de tribunes krijgt door dat hun held de strijd aangaat. En dat in de stoere, roekeloze stijl waar ze hem zo om bewonderen. De tribunes zitten vol met studenten en personeel van de universiteit waaraan de blonde studeert. Om hem aan te moedigen, joelen en stampen ze op de houten vlonders. De Afrikaan volgt hem, zoals altijd, met ogenschijnlijk gemak en in een sierlijke stijl, maar het kost hem veel kracht om de Amerikaan niet te laten gaan. Waar hij nerveus van wordt, is de vraag in hoeverre zijn eindspurt eronder lijdt.

Er is geen tijd om na te denken, en dus doet hij wat hij altijd doet: op het voorlaatste rechte eind maakt hij zich nog wat langer en zet aan. Daarna begint de laatste halve ronde waarin hij gewoonlijk iedereen achter zich laat. Maar meer dan twee meter voorsprong op de blonde krijgt hij niet, bovendien vecht die zich onmiddellijk terug. Ze gaan schouder aan schouder de laatste bocht in. Ook hier lukt het niet om de blonde voorbij te komen. De Amerikaan drukt hem zelfs weg van de binnenbaan tot in baan drie en loopt dan pal naast hem, de ogen wijd open, gericht op de finish. In een flits voelt de Ethiopiër: dit is een maniak, iemand die zich nog eerder zal doodlopen dan te verliezen. In die fractie van een seconde is hij bang voor de blonde. Het publiek is nu hysterisch. Het stampt nog harder en trommelt op de reclameborden. Het kabaal is oorverdovend, beangstigend.

Op het rechte eind vermant de Ethiopiër zich en zet nog eens aan. Maar de reservekrachten voor een eindspurt zijn opgebruikt. Of vervlogen door de schrik van het fanatisme van de blonde en zijn luidruchtige fans. De Amerikaan heeft het echter ook zwaar. Je ziet nu dat er iets scheefs in zijn tred zit, omdat zijn benen niet even lang zijn. Maar het maakt hem niet uit, hij houdt zijn tempo, nee, hij gaat zelfs nog iets harder. De Ethiopiër voelt dat zijn benen nog even snel gaan, maar dat de kracht in de afzet weg is. Hij verstijft en voorziet dat hij in de laatste vijftig meter onherroepelijk langzamer zal worden. En ja, hij moet de blonde laten gaan. Die trekt zijn schouder nog wat hoger op en het hoofd scheef, en slingert zichzelf dan in een uiterste krachtsinspanning over de finish. Op de tribunes wordt gekrijst, geschreeuwd, gejuicht en met de voeten geroffeld. De opwinding is buitenzinnig. Alsof er een olympische medaille te verdienen valt op deze universitaire atletiekdag.

Het is een zonnige dag in het voorjaar van 1972 op Hayward Field in Eugene, Oregon, aan de Amerikaanse Westkust. Hailu Ebba, een tweedejaars student medicijnen, komt uit voor het team van Oregon State University Corvallis, even ten noorden van Eugene. Hij verliest een 1500-meterrace in een voor hem snelle tijd. Zijn overwinnaar is Steve Prefontaine, een 21-jarige student communicatiewetenschappen aan de University of Oregon uit Eugene, die een persoonlijk record van 3:39.8 vestigt.

Drie jaar later, 's avonds op 30 mei in de lente van 1975, drinkt Prefontaine een paar biertjes en rijdt dan in zijn kleine open MG naar huis. Onder aan een steile helling slaat de cabriolet over de kop. De atleet draagt geen veiligheidsgordel en de auto komt tegen een rotswand terecht. Nog voordat de ambulance arriveert, is Steve Prefontaine, 24 jaar oud, dood. Hailu Ebba werd na een succesvolle atletiekloopbaan hartchirurg en is inmiddels 55 jaar oud. De 1500-meterwedstrijd uit 1972 is uitgegroeid tot een exemplarisch onderdeel van de legende van Steve Prefontaine. De gelegenheid staat bekend als de race die Pre had moeten verliezen. Het verhaal van die wedstrijd en de manier waarop Prefontaine deze won, bevatten precies de elementen die ervoor zorgen dat dertig jaar na zijn dood de interesse voor zijn leven en zijn loopprestaties nog even levend is als net na zijn dood. In de afgelopen tien jaar werden er een documentaire en twee speelfilms over zijn leven gemaakt, er verschijnen boeken en er worden voor honderden dollars T-shirts geveild, omdat ze de originele shirts zijn van Pre's People, zijn vaste schare supporters op Hayward Field. Daar vindt in zijn naam jaarlijks een baanatletiektoernooi plaats, de Prefontaine Classic. Er staan standbeelden in Coos Bay, zijn geboorteplaats, in Eugene, en bij de rots waartegen hij stierf en in Beaverton, voor het hoofdkantoor van Nike. Op het internet vond ik een recent gewichelde horoscoop van Steve Prefontaine, voor wie vanuit een astrologische invalshoek meer inzicht wil krijgen in zijn persoonlijkheid en lot.

Van de jong gestorven Mozart, Charlie Parker en Jimi Hendrix is makkelijk te begrijpen waarom ze als 'legendarisch voor de eeuwigheid' gelden. Ze maakten muziek die alle hen omringende muziek verbluffend overtrof. We zijn misschien wel nieuwsgierig naar hetgeen ze nog meer hadden gemaakt, als ze langer hadden geleefd, maar hun vroege dood en hun rijke nalatenschap vullen elkaar ook prachtig aan. Hoe zit dat dan met Prefontaine? Waaruit bestaat zijn nalatenschap? Hij vestigde geen wereldrecords en veroverde geen olympische medailles of wereldtitels. Daarvoor is hij misschien toch te vroeg gestorven. Op de vijf en tien kilometer worden ze niet gewonnen door atleten van Prefontaine's leeftijd destijds. Op de lange afstand zijn atleten pas op hun best als ze achter in de twintig zijn. Toch zag iedereen in hem een wereldtopper in wording. Maar ja, er zijn er meer die geen legende worden door een dergelijk voorval.

Zo zijn we dan terug bij die wedstrijd uit 1972, de wedstrijd die hij had moeten verliezen, maar die hij won omdat hij Pre was. Pre, de koosnaam die zijn fans hem gaven. Wat betekende dat? Wat werd daarmee aangeroepen? Volgens de Prefontaine-legende was Steve een originele Amerikaanse bikkel, een keiharde gozer, voor de duvel niet bang, behept met een roestvrijstalen motivatie en een beestachtig vermogen om af te zien. In zo'n held brandt het vuur van een pure rivaliteit met alles en iedereen, zonder dat daar enige motivering of aanleiding voor nodig is. Pure geldingsdrang, als een uitbarstende vulkaan.

Het is wel begrijpelijk waar die legende vandaan komt. Prefontaine was een hyperactief ventje, dat op school met zijn slanke postuur en luttele 1 meter 78 weinig furore kon maken bij het footballteam of op het basketbalveld. Ook op het honkbalveld ontbrak het hem aan gewicht en kracht om zich met de besten te kunnen meten. Hij legde zich toe op de veldloop en ontdekte in het hardlopen van de lange afstand een bezigheid waar hij zijn energie kon investeren in prestaties die hem gaven wat hij wilde: achting!

Prefontaine's vader, een timmerman, keerde kort na de Tweede Wereldoorlog uit Duitsland terug met een lief, genaamd Elfriede, die hij trouwde en met wie hij drie kinderen kreeg: twee dochters en, ertussenin, op 25 januari 1951, zoon Steve. Dit alles in Coos Bay, een klein stadje in Oregon, het centrum van de bosbouw, met een vissers- en een overslaghaven. Een ruige maatschappij, waar nog respect bestaat voor hardwerkende, agressieve sportlui. Volgens Steve Prefontaine was het hardlopen een uitgelezen manier om aan het zware werk, de anonimiteit en de routine van het provinciale leven in Coos Bay te ontsnappen. Naast het verblijf in de schoolbanken en de bezigheden voor drie baantjes trainde hij op de atletiekbaan, in duinen en parken, op golfbanen en langs de straten. Hij trainde harder dan zijn coach voor mogelijk hield, en ondanks zijn verre van volmaakte loopstijl (mede door de ongelijke lengte van zijn benen) won hij alle regionale wedstrijden en verbrak hij, in de hoogste klassen van de middelbare school, het nationale scholierenrecord op de twee mijl. Tegen de tijd dat hij in Eugene aan de University of Oregon ging studeren, was hij al een regionale beroemdheid en had hij een trouwe schare fans. Ook op het nationale niveau kwam hij in de schijnwerpers als een van de meest talentvolle jonge afstandlopers die de Verenigde Staten rijk waren.

In Steve Prefontaine's omgeving duiken altijd weer een paar kwalificaties op die elkaar op een wonderlijke manier aanvullen. Aan de ene kant was het een jongen die nogal impulsief en chaotisch leefde, maar tegelijkertijd plande hij zijn loperscarrière weloverwogen en deed hij extreem zware en gestructureerde looptrainingen. Hij was een vrolijk maar eenzelvig type, met weinig echte vrienden (hij was graag alleen, en leefde een tijd met een kameraad in een buitenmodel caravan, in de bossen aan de rand van de stad). Maar hij leek ook iedereen te kennen en stond bekend als een 'toucher', iemand die op een intense manier contact maakt. Een onbevangen, provinciaals naïeve jongen, die tegelijkertijd iedereen tegen zich in het harnas kon jagen door botte en arrogante uitspraken te doen, vooral wanneer het over zijn prestaties ging, of vergelijkingen met zijn rivalen. Een egomaan, hartstochtelijk uit op roem en bewondering. Maar hij was ook iemand die veel tijd stak in looptraining voor jongeren en gevangenen, en in de strijd om van de atletiekunie een fatsoenlijke ondersteuning voor amateuratleten af te dwingen. Een hyperactieve, streberige boerenkinkel met een grote mond. Maar ook een ontwapenende, eigenzinnige en charismatische atleet.

De mensen op de tribunes die 'Go Pre!' riepen, Pre's People, juichten iemand toe die bij veel mensen in de atletiekwereld weerstand opriep. Het was niet mogelijk om onverschillig te blijven bij het verschijnsel Prefontaine. Je bewonderde hem of je had een bloedhekel aan hem. Dat had alles te maken met het feit dat Pre een nieuw type atleet was. De eerste hardloper die zich tegenover de concurrentie, zijn publiek en de media opstelde als een artiest, een performer, zoals Mohammed Ali dat al veel eerder in de bokswereld was. Een fenomeen dat zich al in de jaren zestig ook in het basketbal, het voetbal en het Amerikaanse football manifesteerde. De atletiek is altijd een conservatief bolwerk geweest en rond 1970 was het niet anders. Naar de maatstaven van de traditionele atletiekcultuur was Prefontaine een praalhans, een praatjesmaker en een lefgozer, die niet werkelijk beter was dan de vele andere, stillere en bescheidenere atleten.

Om te beseffen hoe shockerend Pre's optreden was, is het goed om bij wijze van vergelijking even aan Emile Zátopek te denken. De Tsjech is een goed voorbeeld van het imago van de ouderwetse atleet. Hij bezat een verstild, bijna kinderlijk opgewekt levensgevoel en een keihard arbeidsethos. Hij was patriottistisch en gezagsgetrouw, en had een alles overheersende bescheidenheid, die maakte dat hij zich schaamde voor en leed onder alle publieke lof, het vertoon en spektakel dat erbij hoorde. In die belevingswereld is 'atletisme' een mooie en onderhoudende vorm van nutteloos werk. Wie het beoefende, moest dat besef uitdragen en zijn plaats weten. Een sportman was een normaal werkend mens en juist zijn lidmaatschap van de massa gaf aan zijn prestaties iets moreel verheffends. Hij bedreef de sport niet uit een zucht naar roem of geld, wat de heersende norm was, maar met onschuldig plezier en met het oog op het ideaal dat je er een beter mens van werd: ijverig, gedisciplineerd, gezond, flink bij tegenslag en bescheiden bij succes. En altijd fair natuurlijk, altijd kameraadschappelijk tegen de sportbroeders en -zusters, en onderdanig tegen het publiek en de pers.

Het 'atletisme' waarvan Pre een exponent was, keert bijna alle elementen van dat sportethos om. In zijn idee van sport berust de band tussen atleet en publiek niet op de herkenbaarheid van de atleet als lid van de massa, maar juist op zijn uitzonderlijkheid, zijn unieke persoonlijkheid. De hardloper is een artiest en zijn optredens zijn theatraal. Zijn aantrekkingskracht schuilt niet in de mate waarin hij doet denken aan de doorsnee burger. Wat de sport haar gloed en glans geeft, is juist het buitengewone, het uitzinnige dat ze kan bevatten en oproepen. Een atleet is niet langer een gewone man die iets buitengewoon goed kan. Als artiest drukt hij iets uit dat in het normale leven geen plaats heeft, net als filmsterren en rockartiesten. En hij doet dat, net als zij, voor ons allemaal. Het oude sportethos schreef aan de gevierde atleet de gewoonheid, de discipline en de heldhaftigheid van de doorsnee werkende mens voor, maar Prefontaine appelleerde aan een levensgevoel dat in de jaren zestig gemeengoed werd: het brutaal verlangen naar roem en naar een ongelimiteerde, hedonistische en individualistische levensstijl. Op een voor gewone burgers onmogelijke wijze drukte hij op het podium van het sportveld en in de media dat levensgevoel – *a lust for life* – als een persoonlijke obsessie uit. Niet alleen met de races die hij won en de records die hij verbrak, maar vooral door de stijl waarin hij dat deed, trok hij de mensen naar zich toe.

Wat is dat dan, Steve Prefontaine's stijl? Wat onderscheidde hem van andere getalenteerde, hard trainende en races winnende jonge atleten? Er is waarschijnlijk geen simpeler en vollediger antwoord mogelijk dan dit: door de verbluffende aanblik die hij bood, oftewel het Beeld dat hij afgaf. Ik schrijf het met een hoofdletter om aan te geven dat het niet alleen om zijn uiterlijk ging, maar dat onder zijn Beeld ook zijn gedrag in de wedstrijd begrepen moet worden. En zijn uitdrukking als hij winnend de finish overkwam; zijn lichaamshouding en lach als hij de pers te woord stond; zijn rebelse opstelling tegen de autoriteiten en zijn pioniersfunctie als eerste door Nike gesponsorde atleet, het bedrijf dat werd opgericht door zijn coach Bill Bowerman. Om in één woord samen te vatten wat Pre's imago deed voor het langeafstandlopen: hij maakte het sexy.

Sexy is een woord dat inmiddels veel betekenissen kent. Om bij de meest voor de hand liggende te beginnen: Steve Prefontaine had zijn uiterlijke charmes mee. Hij was niet groot en indrukwekkend gebouwd, maar een tanig scharminkel, zoals sommige lange afstandlopers, was hij beslist niet. Een van de eigenschappen waardoor hij zich onderscheidde, was de kracht in zijn bovenlichaam. Hij had brede schouders en gespierde bovenarmen. Zijn grote ogen, zijn hoge jukbeenderen en uitgesproken mond gaven hem een aantrekkelijk gezicht. Zijn lange blonde haren en de aan de Westkust gebruinde huid completeerden het beeld.

Maar misschien nog wel belangrijker was het charisma dat iedereen Prefontaine toedichtte. Hij was iemand wiens entree in een kamer vol vreemden de vraag 'wie is dat?' rond deed gonzen, want de spanning van zijn aanwezigheid leek van een hoger voltage dan die van anderen. Dat waartoe een panter in staat is, bepaalt het charisma van zijn slenterende, luierende verschijning: het vermoeden van sluimerende energie en kracht. In Prefontaine brandde een hoger, heter vuur dan in de meeste andere atleten. Zijn bezetenheid of ambitie was zichtbaar in zijn bewegingen, zijn blik. Dat was het wat de toeschouwers van hun stoeltje deed springen en hen kippenvel bezorgde. Het was de voortvarendheid waarmee hij iedere race van het begin af aan naar zijn hand probeerde te zetten, de roekeloze moed en de ongeremde vechtlust waarmee hij de strijd aanging. Maar natuurlijk ook de altijd bewondering opwekkende combinatie van vrolijke nonchalance en een trainingsprogramma dat zo loodzwaar was, dat zijn concurrenten er ontzag voor hadden.

Op foto's van wedstrijden is de in zichzelf gekeerde uitdrukking op de gezichten van de andere lopers opvallend. Je ziet pijn, de ogen dwalen af naar onbestemde plekken op de grond of in de ruimte. De blik van Prefontaine is altijd hoger gericht, in de verte. Hij kijkt vastberaden en hongerig. Zijn ogen staan wijd open en helder. Zelfs als de inspanning van zijn gezicht af te lezen is, straalt hij nog. En nog voor de overwinning binnen is, gaat er al iets triomfantelijks van hem uit. Volgens mij bestaat er een tijdelijke vorm van extreem zelfvertrouwen waardoor mensen lichtgevend worden. Dat is wat Steve Prefontaine leek te hebben. Je kunt het fanatiek noemen, een lichte vorm van waanzin of het vermogen om voor even idioot te worden. Maar ook 'bezieling'. Het is in ieder geval zo goed als onweerstaanbaar. We kennen het van rockartiesten, dansers, uitzinnige predikers en door het dolle heen rakende minnaars of minnaressen. Het is een glimp van de mens, minus de beschaving, de mens als vechtend, dansend, neukend dier. De maximale potentie van het moment. Wie het bij de ander ziet, wordt betoverd, voelt even een mengsel van schrik en ontzag. In de wedstrijd is die betovering een machtig tactisch wapen. Het is een reglementaire vorm van intimidatie en een belangrijk element in Pre's stijl. Een element dat tevens zijn verschijning sexy maakte.

Steve Prefontaine riep een dionysische sportbeleving op. Een mix van erotiek, agressie en extase. En hij deed dat door schaamteloos gebruik te maken van een mechanisme dat de motor is van het succes van alle opvoeringen en spektakels: de gelukkige verstrengeling van exhibitionisme en voyeurisme. Op foto's van zijn races zie je aan zijn gezicht dat hij gedragen wordt door het besef dat duizenden naar hem kijken, vol haat of tintelend van enthousiasme. Prefontaine liet keer op keer merken dat hij zichzelf binnenstebuiten liep voor de toeschouwers, dat hij hun zijn pijn en extase aanbood. Hij geldt als een van de eerste atleten die een gewoonte maakten van het ererondje langs de tribunes na een overwinning. Nu is dat heel gewoon en doen sporters het zelfs na een nederlaag. In de jaren zeventig was het op de atletiekvelden heel ongebruikelijk en vonden veel mensen het ijdel en aanmatigend als een atleet het deed. Pre deed het om zijn *people* te bedanken, zei hij. Hij was als atleet niet alleen aantrekkelijk en opwindend, maar ook iemand die de emotionele band met het publiek uitgebreid en expressief aandacht gaf.

Maar zelfs dát is bij elkaar genomen nog niet genoeg om als loper het langeafstandslopen sexy te maken. Je moet ook winnen. En dat deed Prefontaine. Voor zijn thuispubliek op Hayward Field heeft hij van de achtendertig wedstrijden tussen 1970 en 1975 er maar drie verloren. Allemaal op de mijl, de voor hem moeilijkste, want kortste afstand. Hij brak aan de lopende band Amerikaanse records tussen de twee en tien kilometer en tussen de twee en zes mijl. Zelfs als hij uiteindelijk tweede of derde werd, wat vooral gebeurde als hij in Europa wedstrijden liep, joeg hij tijdens de race het tempo zo hoog op, dat anderen records braken en hijzelf zijn Amerikaanse record verbeterde.

Zijn succesvolle, exuberante stijl van hardlopen en de publiciteit die dat opleverde, droeg bij aan de groeiende populariteit van de lange afstand. Het charisma van Pre straalde een beetje op je af als je fan was of, nog mooier, als je ook aan hardlopen ging doen. Prefontaine geldt, samen met Frank Shorter, Alberto Salazar en Mary Slaney, als een van de inspiratoren van de zogenaamde *running craze*, die vanaf het einde van de jaren zeventig het hardlopen tot een massasport maakte in de Verenigde Staten. En wat later over de hele wereld.

Ik heb niet veel contemporaine herinneringen aan Steve Prefontaine. Echter, twee televisie-impressies staan me bij: *Studio Sport*-beelden van een wedstrijd die hij won ergens op een Europees internationaal atletiekevenement en beelden van de olympische 5000-meterfinale in München 1972.

Van de eerste impressie herinner ik mij Pre's blonde haren, wapperend in zijn nek. De tweede, waarin hij op de laatste 200 meter door een Engelsman, een Tunesiër en de ongrijpbare Fin Lasse Viren – die goud won – wordt verschalkt en strompelend over de finish komt. Hoe ik in 1975 hoorde dat hij was verongelukt, weet ik niet meer, maar ik heb nog een notitieboekje uit dat jaar, waarin tussen dagboekaantekeningen en flarden van schooljongenpoëzie mijn verbazing te lezen is over het feit dat Pre in een open sportwagen reed toen hij het leven liet. Ik schrijf dat het absurd is dat iemand als hij, die zo loopt als hij, op het idee komt in zo'n domme sportauto te rijden. In mijn puberale geborneerdheid had ik blijkbaar iets tegen sportauto's. Dat Pre stierf in een sportauto, trof mij als een slag in het gezicht, als een volstrekte ongerijmdheid. Terwijl er niets méér voor de hand lag dan een jonge succesvolle atleet in een snelle, open auto, zeker aan de Amerikaanse westkust.

Je kunt eruit afleiden dat ik Prefontaine idealiseerde. Maar wat wist ik nou helemaal van hem? Het kan niet meer geweest zijn dan die paar televisiefragmenten en het feit dat hij een jonge, rebelse, hippe atleet was die opzien baarde in elke race die hij liep.

Een Amerikaanse Jos Hermens, maar dan romantischer en stoerder. Ik wist dus zo goed als niets van Prefontaine, maar het was genoeg om mijn eigen denkbeelden en verlangens op Pre's imago te projecteren.

Waaruit bestond die vereenzelviging met Prefontaine precies en waarom deed ik dat bij een hardloper en niet bij een voetballer of een wielrenner? Hardlopen was de enige sportieve bezigheid die ik enigszins uit eigen ervaring kende. Als ik hardliep, kon een juichend, enthousiast gevoel bezit van me nemen waarvan geen betere uitdrukking of voorstelling was dan het beeld van Steve Prefontaine in het laatste rondje van een race. Overigens, dat ik af en toe zomaar een half uur of drie kwartier ging hardlopen, had in mijn beleving met sport niet zoveel te maken. Geen haar op mijn hoofd die erover dacht om lid te worden van een atletiekvereniging. Het ging mij puur om het gevoel van de loop langs het strand of door een bos, het ritme van mijn benen, het genot van gezwollen aderen, zweet, diepe ademhaling en een bonkend hart, iets waar ik begrippen voor zocht als vrijheid, kracht, snelheid, zalige leegte en lichtgevend worden.

In welk opzicht vereenzelvigde ik me met Prefontaine? In de aantrekkingskracht van Pre speelde ondubbelzinnig een erotisch element mee. Ik zag in Steve Prefontaine een erotisch ijkpunt. Kijk, zó wilde ik wel begeerd worden door de meisjes. In hemdje en broekje door de zon snellen, licht als een hert, sterk als een paard, taai als een wolf, slim en fel als een indiaan. En dan winnen natuurlijk, zodat de andere jongens baalden en de meisjes nog een extra reden hadden mij te begeren. Nu ik erop terugkijk, is het juist als erotisch ideaal een aandoenlijke voorstelling van zaken. Een hardloper is ook een onaanspreekbaar, weliswaar zichtbaar, maar een in zijn beweging opgesloten mens. Schuw of kuis, iemand die wel begeerd wil worden maar opziet tegen de feitelijke ontmoeting met het meisje dat haar verlangens op hem gericht heeft. Iemand, die hecht aan een veilige afstand en zijn vrijheid.

Sloot perfect aan bij mijn uiterst schuchtere liefdesleven.

Het idealiseren van Steve Prefontaine had nog een ander aspect, maar pas later vond ik daar de woorden en beelden voor. Ik had zijn charismatische verschijning en zijn ongenaakbare manier van wedstrijdlopen altijd geassocieerd met de cultuur van de Amerikaanse indianen. Dat was helemaal in overeenstemming met de culturele mode van die tijd. De *native American* was een ideaalbeeld voor hippies, kunstenaars en studenten. Zijn natuurverbonden leefwijze, de cultus van individuele moed en de sjamanistische religie waren, zeker aan de Amerikaanse westkust, een modieus cultureel richtpunt. Zulke associaties werden in het geval van Prefontaine door uiterlijkheden versterkt. Maar al lezende over zijn denkbeelden betreffende het hardlopen en zijn rol als atleet in de schijnwerpers, werd het me duidelijk dat hij een sterk sjamanistisch georiënteerde kijk op de sport had. Ja, dat er een magisch-religieuze kant aan zijn sportbeleving zat die ik destijds wel had gevoeld, maar nog niet benoemd.

Het bekendste citaat van Steve Prefontaine luidt: '*Some people create with words or with music or with a brush and paints. I like to make something beautiful when I run. I like to make people stop and say: "I've never seen anyone run like that before." It's more than just a race, it's style. It's doing something better than anyone else. It's being creative.*' Het werd meteen gevolgd door de uitspraak: '*To give anything less than your best is to sacrifice the Gift.*'

Het idee dat een sporter, als een soort medicijnman in een opwindend schouwspel, iets immaterieels schept van een hogere aard en dat de toewijding aan die bezigheid een heilige plicht is, kun je wat mij betreft best pathetisch noemen. Maar tegenwoordig is sport, juist door de verstrengeling met geld, macht, roem en technologie, een almaar magischer en pathetischer bezigheid geworden. Een commerciële, meditatieve vorm van hightechvoodoo, waarin de sporter de rol van priester of tovenaar speelt. Dat bedenkelijke, maar ook opwindende aspect aan het perspectief van de sportcultuur straalde al van Prefontaine af. Zijn vroege dood heeft die magische kant aan hem nog versterkt. Bij Prefontaine-adepten leeft het idee dat de zon altijd doorbrak als hij de baan op stapte. Er zijn zelfs mensen die allemaal hoogst veelbetekenende toevalligheden aangaande Steve Prefontaine verzamelen en in een spiritueel daglicht plaatsen. Voorbeeld: zonder dat iemand het heeft kunnen plannen (het was een kwestie van loting), droeg één van de twee fakkeldragers bij de Olympische Spelen van 1976 in Montreal de naam Stephen Prefontaine. Of dit: Pre begeleidde twee opkomende jonge vrouwelijke atleten in 1974 en 1975, Fran Stichting en Mary Slaney. Ze kregen allebei hun eerste kind (achtereenvolgens in 1976 en 1986) op 30 mei, de sterfdag van Pre.

Zonder in de spiritualistische strekking van zulke anekdotes te geloven, moet ik toegeven dat ik me altijd aangetrokken voel tot figuren die zo'n medicijnmanachtige rol vervullen, die van vluchtige gebeurtenissen een 'werk' en een openbarende gebeurtenis weten te maken. Grote musici en acteurs hebben dat ook.

Dat visionair-creatieve aan Pre maakte hem als atleet bijzonder en, althans voor mij, een uitgelezen type om je ermee te identificeren.

Het derde element in de vereenzelviging met Steve Prefontaine heeft niets te maken met een eventuele idealisering van de jonggestorven hardloper. Bij de bestudering van zijn loopbaan, de verhalen over zijn persoonlijkheid en de legendevorming na zijn dood ging ik op zoek naar de zwakten, de schaduwkanten, van Prefontaine. En juist daarin herkende ik iets van mezelf. Waar gaat het om? Om iets dat verborgen lag achter Pre's agressieve naïviteit, namelijk de rotsvaste overtuiging dat hij van iedereen kon winnen door die ander in mentale kracht te overtreffen. Hij ging ervan uit dat de fysieke verschillen verwaarloosbaar klein waren, dat degene die de wedstrijd won, diegene was die de overwinning harder wilde en daarom harder had getraind, die elke vorm van twijfel overboord had gezet en meer pijn had geleden. Hij had een naïef en absoluut geloof in zijn wilskracht, in zijn vermogen om zijn lichaam en anderen te laten gehoorzamen aan zijn ijzeren wil. Zelfs mensen die misschien sneller konden lopen op een kortere afstand, zoals Hailu Ebba, kon hij verslaan door die magische kwaliteit van een vurige en niets ontziende wil.

Het is niet moeilijk in te zien dat dit bijna mystieke idee van wilskracht (waar Amerikanen dol op zijn) een zelfdestructieve en stompzinnige rand heeft. Prefontaine ondervond het toen hij in Europa kwam en al zijn records brak en toch zelden een wedstrijd won. Hier liep hij tegen mensen die misschien minder extremistisch in hun zelfpijniging waren dan hij, maar na vijf of tien kilometer beduidend eerder bij de finish aankwamen. Zijn reactie daarop was tweeledig. Aan de ene kant toomde hij zijn provocerende en stoere manier van praten over zichzelf en de concurrentie wat in, maar tegelijkertijd ging hij nog harder trainen. Een dogmatische egomanie die op de lange duur nadelig uitwerkt, althans, dat houd ik mezelf keer op keer voor.

De blindheid voor de onbeheersbare kanten van processen in het eigen lichaam, voor de grenzen aan veerkracht en herstel, voor de toevallige omstandigheden en de geheimzinnige, puur fysieke verschillen tussen atleten, gaf zijn vertrouwen in zijn hardheid en wilskracht iets doms, iets zelfdestructiefs. De vraag rijst of Pre met dergelijke oogkleppen op niet het type was dat zichzelf voortijdig opbrandt en zich zo het hoogtepunt van zijn loopbaan ontneemt. We weten het niet. De Olympische Spelen van 1976 hadden de zijne moeten worden. Of die van zijn debacle.

Pre is een beeld van glamour en mentale hardheid, van de romantiek, van de blinde overgave aan pijn en strijd. Maar Pre's verhaal zegt ook iets over de betrekkelijkheid daarvan. Prefontaine's lopen baarde opzien en wekte sympathie, juist vanwege dat overmatige zelfvertrouwen, die gok op de magie van de wilskracht. Meestal moeten de held en zijn bewonderaars accepteren dat overmoed te zijner tijd bestraft wordt met een trieste ontmaskering, een terugkeer naar de feiten en de juiste maat. Naar gepaste bescheidenheid. Dat is Prefontaine door zijn auto-ongeluk bespaard gebleven. Net als de ironie en de weemoed van het afscheid en de ouderdom. De herinnering aan Pre krijgt daardoor iets zonnigs, iets van een triomf. Zijn Beeld bezit glans en opwinding, dat zich concentreert rondom onbestrafte hybris. Prefontaine was iemand die weigerde met de werkelijkheid te onderhandelen. Iemand die opgewekt, wild en verbeten de strijd aanging, totdat ergens iets in hem het zou begeven. Iemand die zich, ten aanschouwen van ons, zo goed als dood zou knokken voor de winst, het record, de medaille. Maar zijn klimmende lijn brak niet: hij stopte!

Omdat zijn verhaal zonder climax en zonder einde is, blijft de waarheid over Prefontaine's grootheid als atleet hoofdzakelijk virtueel. Een onbedorven droom, zij het begeleid door een onheilspellend muziekje. Echter, het verleidelijke effect daarvan is veel groter dan dat van de nuchtere prognose van een deskundige, die Pre goed achtte voor een bronzen of zilveren medaille op de olympische tien kilometer van 1976, of een eventueel piepkleine en eenmalige verbetering van het wereldrecord op die afstand, en daarmee uit. En dán stilletjes de geschiedenisboeken in.

Door te pletter te slaan tegen Pre's Rock is het Beeld van deze loper aan de geschiedenisboeken ontsnapt en spookt het, dertig jaar later, nog steeds vrolijk rond.

Linda Fontijn

Pislucht

Een tik. En nog een. Ik herken hun lach. De vrienden hebben er lol in om elk steentje precies op het slaapkamerdak te mikken. Als het lukt, wordt er gejoeld. Boven ons hoofd horen we een effectieve, zwaardere klap. Een grotere steen. De vrienden applaudisseren voor zichzelf. Mijn geliefde lacht. De bel zal nooit gerepareerd worden.

'Ik wil niet mee,' mompel ik in zijn oor.

'Come on babe, it'll do you good.'

Hij graait in mijn koffer en gooit me mijn spullen toe. De hond komt me een lik over mijn hand geven. Ik heb geen keus.

Buiten staat de ene vriend te rekken, de andere is zijn lage en hoge *skippings* aan het perfectioneren. We omhelzen elkaar en zeggen hoe fijn het is elkaar weer te zien. Ik ruik nog naar slaap, de drank van gisteravond of seks.

Alsof we een team zijn dat feilloos op elkaar is ingespeeld, lopen we meteen de straat uit, steken al rennend een paar straten en de boulevard over, richting strand.

Het is nog vroeg, maar ze zijn er allemaal; met grote koptelefoons op hun hoofd, met spiegelzonnebrillen en de snelwandelaars met een Starbucks-koffie in de hand. Los Angeles loopt hard, of iets wat erop lijkt.

Op het strand doen mijn heren hun schoenen uit en gaan op blote voeten verder. Ze hebben alleen een hardloopbroekje aan. Begin veertig, maar de lijven lijken tien jaar jonger. Ze roepen '*see you later*' en gaan ervandoor. Eerst naar links, naar het einde van Venice Beach, om daar te keren en naar Santa Monica te lopen. Dat red ik niet, zeker niet op mijn eerste dag hier. Gistermiddag ben ik aangekomen en mijn lijf doet nog niet helemaal mee. Heel rustig wakker worden, besluit ik.

De hond holt achter mijn heren aan. Honden zijn verboden op dit strand, maar de strandwachten laten Willy 's ochtends vroeg om een onverklaarbare reden toe. Hij is oud en nukkig, maar gedraagt zich als een puppy wanneer hij door de branding kan springen. Misschien willen ze deze laatste levensvreugde niet smoren.

Hoewel ik in een rustig tempo loop, zit ik er na een paar minuten al doorheen. Die klote droge lucht hier, het is altijd hetzelfde. De warmte drukt op je, zelfs dicht bij het water, er is geen ontkomen aan. Ik wil me omdraaien, naar huis gaan en lekker een bad nemen. Maar dat is mijn eer te na, dus loop ik met loodzware benen verder. Mijn dijbenen lijken alleen uit quadriceps te bestaan.

Mijn heren en de hond zijn al uit het zicht. In de baai dobberen oude en jonge mannen in wetsuits, wachtend op de juiste golf. Ik word ingehaald. De vrouw is mollig. Ze heeft oortelefoontjes in die naar haar iPod leiden, en om haar middel heeft ze drie flesjes water gebonden. Ze heeft een ongelooflijke truttenloop. Veel vrouwen hier hebben zo'n loopje, alsof het zo moet van een deskundige uit de *Oprah Winfrey Show*. Het ziet er niet naar uit dat ze er ooit lol in gaan krijgen. Niet lopen is geen optie, want de deskundige heeft verteld dat het goed is voor je doorbloeding en tegen de kussentjes op de overgang van bil naar dijbeen. Dan vraag je je verder niet af of je het leuk vindt. Dan ga je gewoon hardlopen, tegen elke oprisping in. Je zet je ene voet voor de andere, kleine stapjes, en omdat je elk gevoel voor coördinatie mist, slingeren je knieën tegen elkaar aan. Sinds ik hier hardloop, heb ik slechts af en toe een vrouw met een mooie, krachtige tred gezien.

Ik moet me niet opwinden, ik heb andere zaken aan mijn hoofd. Ik kom adem tekort en begin te hijgen. Kort en hoog in de borst. Alleen trutten hijgen zo. Mijn gebrek aan lucht komt ook door de sport-bh, die dingen knellen je borstkas af. Maar draag je ze niet, of een lossere versie, dan slaan je borsten alle kanten op. Ik laat me niet afleiden door het ongemak van ijzer en elastiek aan mijn lijf. Vanuit je buik en middenrif ademen, zeg ik tegen mezelf. Mijn ademhaling duw ik naar beneden, diep mijn buik in, maar ik kom er niet bij. Het lijkt wel of mijn buik weg is, opgevreten door de quadriceps.

Dan gaat die ene, welbekende, stem van mij me aanmoedigen.

'Kom op, zet even door, je moet door dat punt heen.'

'Ik kan niet vandaag, er zit een levensgrote jetlag in mijn lijf. Ik ga stoppen.'

'Kom op, oud wijf, doe het voor jezelf. Straks voel je je goed, voldaan en verschoond van je vliegtuiggif. Gooi het luie zweet eruit, daarna lekker douchen, misschien vanmiddag nog een dutje doen en je zit in het juiste ritme. Heb je de rest van de week nergens meer last van.'

'Oké, oké, maar tot het einde en terug. Niet verder.'

'Dat bespreken we wel als we daar zijn.'

Het vooruitzicht helpt, ik loop verder naar mijn zichtbare doel: een grijze stenen pier, waarachter een baai ligt. Een enkele keer heb ik er een zeehond in het water gezien, daar waar ze niet worden gestoord door de surfers.

Het lopen gaat even goed, maar zakt snel weer in. Visualiseren, ooit eens gelezen in een zelfhulpboek. Ik waag het erop: de loopband op de sportschool, waar uit elke hoek airconditioning komt. In de spiegel kun je zien hoe je loopt. Als je recht voor je kijkt, zit je de hele tijd jezelf aan te kijken, dus richt je je blik op je knieën. Geobsedeerd blijf je kijken, net zolang totdat zelfs op de loopband een soort trance ontstaat. Helemaal vrij is het nooit. Er blijft afstemming nodig met het apparaat onder je voeten. Te veel vertragen kan resulteren in onderuitgaan. De rode alarmknop is dan natuurlijk niet meer binnen handbereik.

De visualisatie helpt, ik beweeg me iets ritmischer. Maar het blijft worstelen, en worstelen met jezelf is het meest oneerlijke wat ooit is bedacht. De enige persoon op de wereld die ik onder controle kan hebben en zelfs daarmee lukt het me niet. Eerst worstelen en dan falen. Het begint een patroon in mijn leven te worden. Het maakt me bang voor alle grote keuzen die ik nog moet maken. In de verte zie ik mijn heren alweer dichterbij komen. De hond springt er irritant tussendoor. De korte vermaningen van mijn geliefde vang ik via de luchtstroom op.

Ik haal adem, zo diep als ik kan, trek een glimlach op mijn gezicht en steek mijn kin in de lucht. Dit is vol te houden totdat we elkaar gepasseerd zijn. Scoringsdrang doet verrassend veel. Willy ruikt dat ik in de buurt ben en met zijn oude lijf zet hij het op een lopen. Hij springt tegen me op en ik sta meteen stil om hem te aaien. Een hand gevuld met zand gooi ik in de lucht en hij hapt om zich heen.

'*Hi clever girl, keep running*.' Mijn geliefde geeft me een knipoog. Als er zulke opmerkingen worden gemaakt, kennen we elkaar alweer te lang, concludeer ik.

Mijn heren roepen 'bye' en lopen door, pratend over de gemeente- en wereldpolitiek. Zonder horten of stoten, alsof ze aan de bar hangen.

Het einde van Venice Beach komt dichterbij. Vanaf het kantoor van de strandwacht heb ik mijn vaste punten. Eerst de pilaren van de kleine, houten pier met de vissers. Dan het groepje bejaarden die vanaf hun klapstoelen naar de zonsopgang kijken en vervolgens lang blijven zitten. En vlak bij het einde de tai-chi-dames, die trouw hun oefeningen doen, al zolang ik hier kom.

Ik begin aan de terugweg en het gaat inmiddels best goed. Maar dat denken van mij, dat is funest. Die kop staat niet stil, die gedachten houden nooit eens hun mond. Het kwebbelt maar door. Het hijgen begint weer. 'Ontspan. Laat je schouders zakken, rol je voeten goed af, niet van dat halve werk.' Het hijgen blijft, mijn keel wordt er nog droger van. Dit stomme klimaat is al een reden om hier niet te komen wonen. Een vrouw met een flesje op de heup loopt me tegemoet. Ze heeft fluorescerende kleren aan, zelfs *ton sur ton*. Alleen de schoenen passen er niet bij. Hoeveel schreeuwende kleuren ook, ik zie één ding. Dat kleine zwarte flesje rond haar heup. Misschien kan ik het flesje grijpen en heel hard wegrennen. Als ik mijn arm uitstrek, dan… Ik ben een lafaard. Ik baal, ben boos en wil het Amsterdamse Bos. Hier en nu. Met een nylon jack aan en veel zuurstof in de lucht. En vooral tussen de bomen lopen, zodat je het daglicht nauwelijks ziet. Met alleen een eekhoorn hoog in de boom die van schrik tegen je blaast omdat je zijn rust verstoort. En natuurlijk de eeuwige kraai die elk tafereel becommentarieert, de hele dag door.

Hier zijn van die piepkleine vogeltjes: strandlopertjes. Bloednerveus lopen ze van en naar de branding. Ze lopen de zee in, maar zodra het water eraan komt, sjezen ze weer terug. Ze doen het niet voor de pret, ze lijken eerder doodsbang.

'Blijf er dan uit, sukkels!' roep ik naar ze, maar ze doen niets met mijn advies. De betweterige stem vertelt me dat ik me beter op mezelf kan concentreren. Dat ik door de neus moet inademen en door de mond uitblazen. Dat dat de droge keel goed zal doen. En dat ik kleine pasjes moet nemen, dan houd ik het langer vol.

'Je loopt ontzettend voor lul, weet je dat?' begint de zuiger.

'Je komt hier geen bekenden tegen,' zegt de ander.

Terwijl het lopen en het ademen langzaam beter gaan, begint mijn milt om aandacht te vragen. Om het pakket compleet te maken komt er een misselijk gevoel bij.

'Stop dan gewoon, stomme trut.'

'Nee, dat kun je niet maken. Wat moet Steven wel niet van je denken? Hij neemt je mee en jij haakt als een bejaarde af. Dat kun je niet maken. Trouwens, hij heeft ogen in zijn achterhoofd, dat weet je.'

'Gelul. Hij en zijn vrienden zijn ver weg. Wat kan het schelen.

Morgen gaat het vast beter. Joh, ga lekker zitten, koop een donut, kijk naar de surfers, de meeuwen, de zwervers. En houd in godsnaam op met zeiken.' Ik probeer als scheidsrechter op te treden, maar de stemmen zijn luider en eisen alle ruimte in mijn hoofd op. Ze vreten energie. Voor straf stuur ik ze alle twee van het veld. Er is direct rust in mijn hoofd. Het lopen gaat meteen een stuk beter, ik haal steeds dieper adem. Eén-twee in, één-twee uit.

'Dit volhouden, zo kun je doorlopen tot Santa Monica,' kan de betweter niet nalaten me in te fluisteren.

Eindelijk, ik kom in trance. Denk ik. Maar als ik dat al bedenk, is de trance nog ver te zoeken. En ik wíl zo graag, zodat ik pas weer doorheb waar ik ben als ik thuiskom. Of zelfs nog later.

Toch gaat het lekkerder, het gaat bijna als vanzelf. Nu pas ruik ik de zee. Hoor ik de golfslag. Op de boulevard klinken de valse tonen van een gitaar. De vrouwen met hun truttenloop en ik hebben geen enkele band meer met elkaar. Ik knik ze niet meer vriendelijk gedag zoals daarnet. Inmiddels groet ik elke hardlopende man en een enkele andere stoere vrouw. Niemand zegt wat terug.

De zon begin ik zelfs te waarderen. Het is toch een ongekende luxe om zo het strand op te kunnen lopen. Geen asfalt dat je knieen op den duur aan gort helpt en niet eerst met je auto naar het bos rijden, om je rondje te kunnen lopen. Als ik hier kom wonen, kan ik dit zo vaak doen als ik wil. Van het trimmersniveau zal ik opklimmen tot dat van de atleten. Dan praat ik met de mannen net zo ontspannen over belangrijke zaken, terwijl we er ondertussen een dikke tien kilometer tegenaan gooien.

Ik ben bijna weer bij de zandheuvel. Het kantoor van de kustwacht staat erbovenop. De heuvel is niet eens steil, op de heenweg viel het ook mee, maar ik raak uit mijn ritme. Ik werk mezelf omhoog, maar het lullige, nietige heuveltje nekt me. Bij het gebouw van de kustwacht aangekomen, piep ik als een stervende muis. Voorovergebogen leun ik met mijn handen op een been, waaronder die vierhoofdige dijspier zit. Hij heeft weer alle andere spieren en pezen eruit gegooid en is als alleenheerser terug: narcistisch en dominant. Mijn buik en ademhaling moeten elkaar opnieuw leren kennen. Mijn milt schreeuwt als een pasgeborene.

Het liefst wil ik me in het zand laten vallen en er de rest van de dag blijven liggen. 'Nou, nou, het heeft even geduurd, hè?' zegt de zuiger.

Een paar kustwachten komen net naar buiten. Ik zie ze denken: wit huidje, toerist, ach gut, het moet ook zo nodig op Venice Beach lopen.

Ik geef ze, zo goed en zo kwaad als het gaat, een vuile blik en bedenk dat ik altijd nog de hond op hen kan af sturen.

Zitten. Het zweet begint te stromen. Langs mijn nek en ruggengraat, tussen mijn borsten en langs mijn borstkas. Alle rotzooi komt eruit, afvalstof na afvalstof. Mijn keel is gortdroog, ik krijg een hoestaanval. Ik voel de kustwachtjongens kijken. Ik hoor ze denken dat ik een beginneling ben en ik kan geen enkel tegenargument tonen. Goddomme, wat haat ik ouder worden, want dat is natuurlijk de schuld van dit alles. Het lijf doet niet meer mee, het lijf heeft besloten eerst te moeten herstellen en meer van die flauwekul.

Pas als ik weer normaal adem, sta ik op. Stiekem hoop ik dat ik eerder thuis ben dan mijn heren. Dan schiet ik onder de douche en zorg dat er koffie en een ontbijt voor hen klaarstaan. Maar dat haal ik nooit meer, zelfs niet als ik was blijven hardlopen.

Er rolt een golfballetje naar me toe. Ik kijk op en zie een stel zwervers. Eentje staat met een golfclub in zijn hand.

Ik pak de bal op en gooi hem terug.

'Thanks, honey!'

Even later rolt de bal weer naar me toe. Ik begrijp de clou. We hebben lol, hoewel op afstand. Slaan, teruggooien, slaan, teruggooien. Als ik er genoeg van heb, pak ik de bal en loop naar hen toe. Even de missionaris uithangen en, vooral mezelf, laten zien dat ik nooit met een grote boog om zwervers heen loop. Wie weet kijkt er nog een Amerikaan vol bewondering naar mijn gedrag, wie weet kijkt er niemand.

Ik bedank de heren voor het leuke golfspelletje.

'*Funny accent.*'

We hebben het over Nederland en de kou en Venice en de zon. '*You're looking cold in that top*,' zegt een van hen.

Hij vertelt me dat hij een gentleman is en voordat ik het doorheb, gooit hij zijn jas om mijn blote schouders.

'Oh, *no*!'

Maar de jas hangt al om me heen. En meteen ook een geur die me bijna verdooft. Hij is zuur en oud, maar vooral zuur. Hij is doordringender dan alles wat ik ooit heb geroken. Ik herken een onderdeel van de lucht: urine. Ik wil mijn neus dichtknijpen, maar ik wil de man niet kwetsen. Ik ruik tegen wil en dank. De jas is vergeven van een oude, zure pislucht. Ik weet niet wat ik moet doen, ik wil het ding van me af gooien, maar ben verlamd en doe niets.

Ik blijf vriendelijk. Het is niet nodig, dat van die jas, zeg ik. Maar het is wel heel aardig. En ik heb het niet koud en ben op weg naar huis, leg ik uit. Wat het een met het ander te maken heeft weet ik zelf ook niet. '*Sure, you must be cold.*'

'No, no.'

Hij zegt weer dat hij een gentleman is. Hij komt dichterbij en knoopt de jas dicht. Hij ruikt ongekend smerig. Uit zijn mond komt een walm van alcohol, vermengd met iets penetrants. Zoals Franse kaas, maar dan van de gemeenste soort. Tussen deze rijkdom aan geuren voert er één de boventoon: de pislucht. Hoe krijgt hij het voor elkaar? Hij slaapt, zit en eet op die jas en laat ondertussen alles lopen. Dat kan niet anders.

Ik kom langzaam weer bij zinnen. De andere zwervers zijn druk bezig met hun golflessen. De gentleman lacht een hoge lach. Zijn tanden zijn aangevreten en hij neemt een slok bier. Het blik stopt hij snel terug in zijn broekzak, voordat de politie het ziet.

Ik zeg dat de jas echt niet langer nodig is en ruk 'm open. Er schiet een knoop af, maar dat maakt waarschijnlijk niet uit. Als ik hem de jas aanreik, zie ik bij zijn kruis een natte vlek.

Als een raaskallende gek bedank ik de heren nogmaals, voor de jas, het leuke gesprek en het spelletje golf. Ik moet nu echt weg, mijn vriend wacht, roep ik.

Ik zet af alsof er een startschot is gegeven. Ik ren weg zo hard ik kan. Hollen, rennen, sprinten: sneller en sneller. Als een bezetene schiet ik de boulevard over, een straat in, vlak voor een auto langs, een andere straat in. Weg van die lucht, weg van die lucht die waarschijnlijk voor altijd in mijn neus blijft hangen.

De zon brandt, maar het maakt niet uit. Mijn benen zijn licht en van mijn ademhaling ben ik me niet eens meer bewust. Ik heb zelden mooier gelopen. Het hekje bij de tuin neem ik zoals vroeger de hordes op de atletiekbaan. Met mijn arm bonk ik op de voordeur.

'Gadverdamme! Gadverdamme!' is het enige wat ik kan uitbrengen als ik de woonkamer binnenstorm. Ik kijk naar beneden, naar mijn hemd en broek. 'Gadverdamme.' Ik kijk mijn heren aan, alsof zij kunnen zien wat ze moeten begrijpen. In plaats daarvan doen ze mijn harde g na en lachen. Ik zoek troost bij Willy en geef hem een aai over zijn kop. Hij deinst achteruit en meteen weer naar voren. Hij grijpt mijn hand en bijt, en hij bijt door. Alle twee geven we geen kik, ook niet als ik zie dat mijn handpalm volloopt met bloed.

Iedereen is stil. Willy is in zijn mand gaan zitten, ver van mij en de zweem van pislucht vandaan, en kijkt de andere kant op. Steven neemt me mee naar de wastafel. Hij laat het water over mijn bebloede hand lopen. We beginnen een beetje nerveus te giechelen.

'*Doctor, tetanus, long painful needle...*' vertelt hij me alvast. De twinkeling in zijn ogen verraadt dat hij best tevreden is met een

Nederlandse vriendin. Eentje die niet meteen hysterische aanklachten voor zijn voeten werpt of dreigt dat de hond moet worden afgemaakt.

Ik geef hem een kus en vermoed dat ik ook een mitella en een antibioticumkuur krijg. Morgenochtend zie ik voor me, wanneer ik met Willy langs het strand zal wandelen. In een T-shirt en een lange broek. Met mijn ene arm in de mitella, met mijn andere hand naar de zwervers zwaaiend. Daarna koop ik croissants en sinaasappelsap en zorg dat de koffie klaarstaat als mijn heren terugkomen. Overmorgen zien we wel weer verder.

Tim van der Veer

Hoogteverschil

Mexico Stad, 4 maart 2007

Er wonen 24 miljoen mensen in Mexico Stad. Als ik het hotel uit loop, kijken ze alle 24 miljoen naar mij. Ik check mezelf in de ruit van het hotel. Tja, geef ze eens ongelijk. Er zweeft een schaars geklede lantaarnpaal met zonnebril en zilveren schoentjes voorbij.

Niets zo spannend als hardlopen in een vreemd land. In Zuid-Italië ging het pad zo steil naar beneden dat ik bang was dat ik op mijn knieën naar beneden zou schuiven. In Griekenland beloofde ik mijn vriendin even geld te gaan pinnen in het buurdorpje. Na een uur lopen in een verzengende Griekse zon stond ik hijgend stil. Om me heen niets dan olijfbomen, verschroeid gras en het oorverdovende geluid van miljoenen cicades. Gevaarlijk uitgedroogd en zonder geld keerde ik terug. En in Thailand ging het echt heel soepel over het zandpad door het mangrovebos. Die anderhalf meter lange hagedis schrok meer van mij dan ik van hem. Aan die drie zwerfhonden heb ik minder goede herinneringen.

Hay un parco tres cuadras a la izquierda. Een park, drie huizenblokken naar links. Ik hoop vurig dat Mexicanen beter de weg kunnen wijzen dan de gemiddelde latino. Waar ik ook in Peru de weg vroeg, het antwoord luidde: *A la esquina, otra esquina, a la esquina.* Wat zoveel betekent als: Op de hoek, andere hoek, op de hoek. Vind je het gek dat de Inca's verdwenen zijn?

Het valt mee. Nadat ik twee vrouwen en een schurfterig tekkeltje de stuipen op het lijf heb gejaagd, bereik ik het park. Groot is het niet. Een paar perkjes, een basketbalveldje en een tacotentje. Jacarandabomen strooien honderden paarsblauwe bloemetjes voor mijn voeten. Prachtig. Maar binnen één minuut ben ik eromheen. Besluiteloos sta ik stil.

Het trekt me niet om de achtbaans Insurgente, de langste straat van het continent, af te lopen op zoek naar een beter parcours. Mijn goede vriend Vincent ging ooit trainen over de Malecon, de zeeboulevard in Lima. Schoolkinderen renden massaal achter hem aan. Meisjes slaakten hoge gilletjes. Jongens floten zachtjes tussen hun tanden. Bejaarden zakten spontaan ineen. Ik had hem nog zo afgeraden *tights* aan te trekken. Dan maar rondjes draaien om het parkje.

Het motortje loopt niet lekker. Door de hoogte (2.400 meter) lijkt mijn hoofd van mijn romp te willen opstijgen, terwijl de tortilla's in mijn maag het op een akkoordje hebben gegooid met de zwaartekracht. Ik concentreer me op mijn ademhaling, perfectioneer mijn pas en laat mijn gedachten afdwalen.

Gisteren in de bus viel het me op dat de bergen rond Mexico Stad grijs zijn. Toen we dichterbij kwamen, zag ik dat de bergen zijn volgebouwd met honderden, wat zeg ik, duizenden grijze, betonnen hokjes. Opeengepakt in geometrische blokken, gescheiden door grijze wegen, alsof ze zijn aangelegd met een reusachtige hark. Ik kneep mijn ogen samen op zoek naar mensen. Een paar kinderen duwden een onwillige ezel tegen de grijze berg op.

Ik denk aan German Silva, tweevoudig winnaar van de New York Marathon. Op 4 november 1994 ging de eindstrijd in Central Parc tussen twee Mexicanen: Benjamin Paredes en German Silva. Was het de hitte? We zullen het nooit weten. In de laatste kilometers volgde Silva een politieauto en sloeg verkeerd af. Net op tijd kwam hij erachter en wist hij als eerste de finish bij Tavern on the Green te passeren in een tijd van 2.11.21.

German Silva is geboren in het arme dorpje Tecomate en groeide op zonder stromend water en elektriciteit. Het gerucht gaat dat hij begon met hardlopen op de dag dat zijn ezel hem van zich afwierp. De enige manier om op tijd op school te komen was door hard te lopen, heel hard te lopen. Toen de president van Mexico hem vroeg wat hij zich wenste in het leven, vroeg Silva om water en elektriciteit voor Tecomate.

Het lang beloofde bezoekje aan mijn oom Arie op Texel moest er maar eens van komen. Goed om zijn verhalen te horen en zijn handen te zien, de handen van mijn vader. En om te trainen natuurlijk, tussen de schapen, in de duinen, over het strand. Wie weet kom ik hem tegen, German Silva. Hij is inmiddels getrouwd met een Texelse en heeft verklaard dat Texel een ideaal trainingsparcours is. Ik zou hem vragen hoe het voelt als hij de deur achter zich dichttrekt en de pas erin zet. Draagt hij tights? Vallen er bij hem ook tekkeltjes van de stoeprand? En hoe zat het met die ezel?

Ik passeer voor de derde keer het tacotentje. De lucht van hete olie, maïsmeel en chili vindt zich via mijn neusholtes een weg naar de tortilla's in mijn maag. Gelukkig, wat afleiding: er komt een medeloper vanuit tegengestelde richting. Een Mexicaanse man sjokt me in een onvervalste *survival shuffle* tegemoet. Zo'n goeiig type, door zijn vrouw op pad gestuurd om een paar pondjes te verliezen. Prachtige sport, hardlopen. Iedereen beleeft het op zijn eigen manier. Dik, dun, langzaam, snel: het gaat om je eigen ritme, je eigen eenheid van lichaam, geest en elementen. Vanuit de persoonlijke verschillen ontstaat geen concurrentie maar verbondenheid.

Een minuut later ben ik weer bij het tacotentje. En daar is hij weer. Een vloek rolt door mijn mond: hoe kan die Mexicaanse, corpulente hond al hier zijn? Ik zet aan. Mooie knieheffing, netjes afrollen, handen soepel meebewegen, schouders ontspannen. Daar heeft hij niet van terug. Een minuut later. Het tacotentje en daar is hij weer. Grr, hoe kan dit? Als we elkaar zijn gepasseerd, tuur ik door de Jacarandabomen of hij misschien afsnijdt. Maar nee, hij sjokt keurig langs de rand van het park. Ik zet nog harder aan.

Na vijftien tacotentjes giert mijn adem door mijn borst. Het is gelukt. Ik heb veertig meter op hem gewonnen en besluit naar het hotel terug te keren. In mijn kamer val ik voorover op het bed en mompel iets over hoogteverschil.

San Bartolo, 8 maart 2007

'*¡Venga, Tim, venga acá, un pocito mas!*' Het is zeker nog vier uur hobbeldebobbel in onze kanariegele Nissan van San Bartolo terug naar Pachuca, hoofdstad van de provincie Hidalgo. Maar we weten allemaal dat Mexicanen leven volgens het door Hollywood gekarikaturiseerde maar evengoed op de suffe werkelijkheid gestoelde *mañana*-protocol. Verzet is zinloos. Opgewekt zwaai ik mijn benen weer uit de auto. De zon staat laag en hult de bergtoppen in Moctezuma's goud. In het dal ver beneden stijgt langzaam een massief pak wolken op.

Juán heeft zijn mooiste overhemd aan. Smetteloos wit, polyester, met verlengd voorpand zodat de knoopjes verborgen blijven. In Nederland heet dat woonwagendesign, maar hier staat het best goed. Hij wenkt me en gebaart in de richting van de weg. Ik ontwaar een roze propje en vermoed het ergste. Als het dichterbij komt, zie ik dat ik gelijk heb. Het is een joggende vrouw in een roze trainingspak. Eveneens woonwagendesign, maar in tegenstelling tot het overhemd ook in Mexico geen succes.

'*Tim, this is my friend Rosa. She is single and also loves running.*' Voor de zevende keer leg ik uit dat er in Nederland een prachtige vrouw op me wacht. Eentje bij wie het IQ niet in mindering is gebracht op haar aantrekkelijke vormen en andersom. En dan is er mijn zoon van bijna drie jaar, die me onlangs een intense knuffel gaf, me diep in de ogen keek en zei: 'Papa, jij bent geen drie apen.' Juáns ogen staan vertederd. Maar de kronkel in zijn Mexicaanse mannenbrein is volhardend: '*And she's crazy about travelling to Europe.*'

Ik trek de hoeken van mijn mond zo hoog als ik kan, maar

vraag me af of het een glimlach mag heten. Jaloers ben ik, op die roze mop. Sinds we vanochtend de bergen in zijn gereden, jeuken de zilveren schoentjes aan mijn voeten. De onverharde weg kronkelde over een rif met aan beide zijden een diepe afgrond. Naaldbomen knikten zachtjes in de wind. Bij elke bocht ontsnapte me een zacht 'oh' of 'ah' en liet ik mijn ogen glijden over de diepe dalen met bananenbomen, koffieplanten en her en der wat huisjes. Tussen de voorname bergtoppen door glinsterden Veracruz en de Mexicaanse Golf. Mijn hart sloeg over van verlangen om de lucht te proeven, een spoor te zetten in de rode aarde, de wind te horen suizen in de toppen van de bomen.

Heel erg lekker. En heel erg ongepast. Dat zou het zijn geweest. Want ik ben hier voor m'n werk. En ik ben niet alleen. Ik reis samen met Julia. Ze overstijgt de één meter zestig niet maar is een hoge pief van Oxfam International. Een grote, internationale ontwikkelingssamenwerkingsorganisatie (driemaal de woordwaarde!). We bevinden ons namelijk niet alleen in een van de mooiste maar ook een van de armste gebieden van Mexico. Schrijnende armoede en een adembenemend mooie natuur: een bittere combinatie die verrassend vaak voorkomt. Het is niet de natuur die faalt. Overal klateren beekjes, spruiten planten lustig uit de vruchtbare aarde. Armoede is ook hier het resultaat van uitbuiting en discriminatie.

Op uitnodiging van een lokale, Mexicaanse organisatie gingen we op bezoek bij de Otomí. Dat is een van de oorspronkelijke Indígena-volken van Mexico. Wij noemen ze indianen en dat is veelzeggend. We weten dat Columbus dacht dat hij in India was terechtgekomen en dat we ze daarom indianen noemen. We kennen de Maya's, Azteken en Tolteken uit de geschiedenisboeken, maar voor de vele tientallen volken die vandaag de dag in Mexico wonen, hebben we niet de moeite genomen te vragen hoe ze eigenlijk genoemd willen worden.

Het is de Internationale Dag van de Vrouw. In Nederland

scheppen we een taartje met oma, van wie we ons niet kunnen voorstellen dat ze ooit een Dolle Mina was. Vanmiddag zat ik net buiten het bergdorpje San Bartolo op een glooiend veldje te midden van veertig Otomí-vrouwen. Hun kleren in rafels langs het lichaam, hun gezichten donker en gegroefd door de zon. Terwijl het hoge gras kriebelde in mijn knieholtes en de Mexicaanse zon op mijn voorhoofd brandde, kwam de een na de ander schoorvoetend naar voren. Ze spraken in het Spaans en in het N'uju, hun eigen taal. Over problemen, over armoede. Over rechten en gelijkheid. Heel zachtjes, want je weet nooit. In de jaren tachtig was een gruwelijke wet van kracht waardoor vele Indígenas zijn gesteriliseerd. De wet is van de baan, maar iedereen weet dat de jaren tachtig weer hartstikke 'in' zijn.

Terwijl de vrouwen hun indringende getuigenissen aflegden, dwaalden mijn ogen af. Als uit een fotoreportage voor het dubbeldikke paasnummer van de *Allerhande* stond midden in het veldje een fleurige paastafel. Met een pimpelpaars, grasgroen, fonkelend gouden tafelkleed. En dat zijn, zoals wij allen weten, dé voorjaarskleuren van 2007. Op de paastafel: tien kippen, een soort mandjes van roestvrij staal, gevuld met schitterende, witte eieren.

Bleek dat na het gesprek met de vrouwen een heel officiële ceremonie stond gepland. Tien vrouwen werden om beurten naar voren geroepen. Latino's houden van speechen. Zo ook ceremoniemeester Juán. Als een ware Fidel Castro overspoelde hij de vrouwen met een vloedgolf van lof. Aangestoken door zijn eigen enthousiasme nam zijn stemvolume gaandeweg exponentieel toe waardoor de frêle, timide vrouwen zich nauwelijks staande leken te kunnen houden onder de woordengolf. Gezien het thema van de dag – gelijkheid van vrouwen – op zijn minst ironisch.

En toen volgde het werkelijk tenenkrommende deel. De kippenmandjes hoorden bij een stapel zwierig opgestelde oorkondes en vormden beloningen voor de tien toe gespeechte vrouwen.

Als blijk van waardering voor de bijzondere daden die ze hadden verricht voor hun gemeenschap. Aan Julia en mij de eervolle taak om de beloningen uit te reiken. Bij Julia was dat een natuurlijk ogend geheel. Ik breng hierbij graag in herinnering dat zij de één meter zestig niet overstijgt. Een dubbelgeklapte lantaarnpaal met zonnebril, zilveren schoentjes en een RVS-kip die het handje schudt van een Mexicaans theelepelvrouwtje, oogt aanzienlijk minder gracieus. Helaas, alles ging op de foto.

De vrouwen vonden het gelukkig prachtig. Bijna was het onmogelijk om terug te keren naar San Bartolo. Om de tien meter stond een van de vrouwen ons op te wachten. Of we wisten dat we de eersten waren? Ze konden zich niet herinneren dat er ooit iemand van buiten Mexico op bezoek was geweest. De eersten. Die kwamen en die naar hen luisterden. Tja. Dat is slikken, beminnelijk lachen, handen vasthouden, omarmen. En dan waren er de cadeautjes. Nee zeggen is geen optie. Twintig kilo sinaasappels, vijf koffieplanten en een complete bananenboom rijker kwamen we aan in San Bartolo.

'*Say goodbye to the pretty girl, Tim.*' Ik druk een slap handje, Rosa sjokt weer verder in haar roze tenue, gewaad, slaapzak. Tja, wat is het eigenlijk? Ik kijk naar de zilveren schoentjes aan mijn voeten. Het is er niet van gekomen vandaag. Jammer, maar het is goed zo.

Ik stap resoluut in de kanariegele Nissan, draai het raampje open en begin vanuit de stilstaande auto te zwaaien naar een verbaasd kijkende Juán. Het werkt. Even later rijden we weer over het rif met aan beide zijden een afgrond. Terug naar Pachuca.

Utrecht, 11 maart 2007

Ondanks het montere lentezonnetje ligt Nederland er bij als een te vaak gewassen Melka-jas. Mijn stemming is er niet minder om. Naast me fietst mijn vriendin. Achterop mijn zoon die zojuist een concert ten gehore heeft gegeven in de hoedanigheid van zijn nieuwe alter ego: de Kleine Mariachi. Met zijn Mexicaanse, zwarte hoed voorzien van zilveren biesjes, met zijn speelgoedgitaartje en met de *Jip en Janneke*-cd keihard over de speakers, zong hij uit volle borst: 'Met een muilezeltje door heel Mexico. Het is Mechico. Ik zeg Mexico. Vlinders zo groot als mijn hoed. Bloemen zo rood als mijn bloed.'

Achter de glazen van mijn zonnebril brandt de jetlag in mijn ogen. Desondanks draait het motortje lekker. Als we de Koningsweg naar Bunnik op draaien, buigt mijn zoon zich gevaarlijk ver uit zijn stoeltje. Hij hangt in zijn riempje met zijn hoofdje naar beneden. Bezorgd vraag ik hem wat hij doet.

'Ik kijk naar jouw voeten, papa. Maar ik zie ze niet. Ze gaan heel snel.' Ik zet aan. 'Jij bent een hardloper, papa.' De zilveren schoentjes tikken tevreden op het asfalt. Zie je wel, allemaal hoogteverschil.

Naschrift: Tim van der Veer schrijft nu een boek over hoe hij met Nepalese lopers in de Himalaya trainde en een dubbele marathon over de Alpen volbracht. Een adembenemend avontuur en een zoektocht naar de essentie van hardlopen. Het boek komt uit in 2012 bij de Arbeiderspers en heet toevallig ook Runner's High.

Rolf Bos

Een man van vuur

De Keniaanse marathonloper Kenneth Cheruiyot won in 2000 de marathon van Rotterdam en in de jaren daarna werd hij tweemaal tweede. Op 17 februari 2003 schoot hij in West-Kenia een man door het hoofd. Een ongeluk? Of toch moord? Een poging tot een reconstructie.

Kaplelach, West-Kenia, maandagnacht 17 februari 2003

De jongen was die avond bijtijds gaan slapen. Hij had zijn huiswerk gemaakt en nog wat vaste klusjes rond de boerderij verricht. Buiten rees de volle maan hoog boven het Afrikaanse land. Het witte, kille licht gaf de eeuwig groene theeplantages een surrealistische aanblik. Rond het huis scharrelden geiten en kippen in de rode, zware klei. De hond liep verloren rond, de staart tussen de poten. De wolken boven de bergen in de verte waren zwanger van regen.

Twee, drie uur later schrikt de jongen wakker. Hij heeft geen idee van de tijd, maar hij hoort zijn tante, ze praat met schelle stem. De jongen draait zich zuchtend om. Zijn oom is weer eens dronken thuis gekomen. Te veel bier gedronken, en misschien ook weer geproefd van het lokaal gestookte *Kumi Kumi*, giftig spul dat mannen blind maakt.

Zijn oom heeft, zoals zoveel mannen in het dorp, een kwaaie dronk over zich. Hij kan geen maat houden en drinkt van alles door elkaar. Als hij dan van een van die vele houten kroegjes naar huis gewaggeld is, wordt hij handtastelijk en slaat hij zijn vrouw, dwingt hij haar tot seks.

Ook de jongen heeft menigmaal een klap opgelopen. Hij respecteert zijn oom, als *chief*, een machtig man immers in het dorp, maar op zulke momenten haat hij hem. Soms komt oom na zo'n avond zuipen, helemaal niet naar huis. Hij bezoekt dan andere vrouwen in het dorp, weet de jongen.

Vannacht is hij er wel, en eist hij eten. Zijn vrouw geeft hem een bord *ugali*.

Oom eet weinig. Hij kokhalst en boert, duwt zijn bord weg en stommelt naar bed. Zijn tante volgt mopperend. Even later klinkt er gesnurk.

De Afrikaanse nacht is nooit stil. Altijd zijn er geluiden, in het gras, in de heuvels, in de lucht, in de koortsbomen. Insecten, vogels, boomkikkers, hyena's soms – elke nacht speelt het orkest van wisselende muzikanten weer een nieuwe symfonie. Met die vertrouwde melodieën weet de Afrikaan rustig te slapen.

Maar deze nacht wordt de rust van de jongen opnieuw verstoord. Nu door het overspannen motorgeluid van een auto.

De bestuurder heeft haast. Hij schakelt te laat, geeft te gretig gas. De wagen slipt hoorbaar in de natte klei van het spoor dat naar het huis van zijn oom leidt.

De auto stopt voor het huis, de motor blijft lopen, de portieren knerpen. Er wordt geschreeuwd. Het zijn meerdere mannen, hoort de jongen, en er klinkt ook een vrouwenstem. Achter het huis gromt de hond.

De jongen richt zich op en gluurt door het raam naar buiten. In het maanlicht staan vier mannen en een jonge vrouw. Drie van de mannen schoppen tegen de deur. Een vierde, klein van postuur, staat bij de auto. De vrouw schreeuwt hysterisch.

De jongen hoort gestommel in het achterhuis. Zijn tante gilt dat ze met rust gelaten willen worden, dat de familie slaapt. Dan ziet de jongen zijn oom door de kamer naar de deur lopen, vloekend.

'Wegwezen, jullie!' schreeuwt oom, terwijl hij de deur opent en er een streep maanlicht onheilspellend naar binnen valt. Dan staan ze tegenover elkaar, de mannen en zijn oom. Zijn oom in de deuropening, de mannen buiten, vóór de vrouw.

‘*Wewe pumbafu*, jij idioot! Je moet met je poten van haar afblijven,’ schreeuwt een van de mannen.

‘Hij heeft me verkracht,’ krijst de vrouw.

De jongen ziet dat zijn oom een *panga* in zijn hand heeft, en ook naar de hooivork reikt die bij de deur staat.

‘En nou wegwezen, dit is mijn huis,’ gromt hij naar de mannen terwijl hij dreigende gebaren maakt.

De drie mannen deinzen terug, oom is een grote man. Tante staat huilend tegen de muur gedrukt, ze huivert in de koude nacht.

Dan stapt de kleine man die zich wat afzijdig heeft gehouden met onvaste tred naar voren. Hij zegt niets. Hij gaat vlak voor oom staan, de rechterhand in zijn broekzak.

Oom zwaait met de *panga* en spert zijn mond open. De jongen ziet een flikkering van witte tanden.

De kleine man haalt de hand met een snelle beweging uit zijn zak.

Hij gaat oom slaan, denkt de jongen. Maar nee, er klinkt een harde knal en zijn oom slaat tegen de grond.

‘Here-Jezus-in-de-hemel!’ gilt tante.

Achter het huis jankt de hond.

Rotterdam, Nederland, zondag 21 april 2002

De kleine man vloekt binnensmonds. Hij heeft pijn in zijn arm. Daar heeft hij al last van sinds hij het tienkilometerpunt wilde passeren. Daar is hij, toen hij zijn waterfles van de tafel wilde pakken, gemeen gevallen. Er moet iets gebroken zijn. Maar stoppen? Nooit. Dan kennen ze hem niet, de kleine atleet uit Kericho, stad van heren-van-de-thee, in West-Kenia. Terwijl hij het spoor van zijn vriend Simon volgt, dwingt hij zichzelf, aan iets anders te denken dan aan die vervloekte arm. Links, rechts, links, rechts – het ritme hypnotiseert, het verzacht de pijn.

Zijn gedachten dwalen af naar twee jaar terug, toen hij hier als een volslagen onbekende de marathon won. In een zinderende eindsprint versloeg hij een Spanjaard en een Braziliaan. Op het vlakke parcours finishte hij in 2.08.22. 'Geen goede tijd, maar dat komt door die pokkewind,' zei de baas van de marathon na afloop.

Het was zijn tweede marathon en het werd zijn doorbraak. Zijn onverschrokken, aanvallende manier van lopen – *just push & go* – bezorgde hem in de atletiekwereld de bijnaam Fire. In Amerikaanse bladen werd hij *Cheruiyot of Fire* genoemd.

De man-van-vuur grimast en verbijt de nu weer opspelende pijn. Natuurlijk, hij begrijpt de woordspeling. Hij kent de film van een videoband, afgespeeld in een bar in zijn dorp.

Met het prijzengeld dat hij in Nederland verdiende, kocht hij in Kericho een auto, vee en grond. Zijn zes zusters en drie broers stopte hij ook wat toe, neefjes en nichtjes kregen schoolgeld. Ze waren trots toen hij, na het traditionele gehakketak binnen de Keniaanse bond over de teamindeling, een paar maanden later naar de Olympische Spelen van Sydney mocht.

Daar waaide hij met zijn 51 kilo van de hoge bruggen. Huilend, met pijn in zijn maag, had hij opgegeven. Thuisgekomen plaagden ze hem ermee. Hij moest harder trainen, zeiden ze en natuurlijk was het een grote schande dat juist een Ethiopiër met de olympische titel aan de haal was gegaan. 'Athene in 2004,' was het enige dat de kleine man had gezegd. 'Athene, wacht maar, dát wordt mijn marathon.'

De eerste maanden na Sydney dronk hij, in zijn eigen bar, de vernedering van zich af – *Cool Fire* staat er op het houten bord dat aan de gevel is gespijkerd. Ja, hij hield van een glas *Tusker Premium Lager* en soms wel van meer dan één ook. Nou en?

In december was het verdriet weggespoeld en begon hij weer te trainen. Een paar maanden later draafde hij voor de tweede maal door Rotterdam. Jammer dat zijn vriend Josephat die dag net even sneller was.

Josephat, met wie hij in het kamp van Adidas in Kericho trainde, won de wedstrijd in 2.06.50. Zijn eigen tijd, 2.07.18 mocht er trouwens ook zijn. De kleine man kwam nu toch echt in de buurt van de werkelijk groten op de 42 kilometer.

En nu is het april 2002 en loopt hij hier weer, in het spoor van Simon. De wedstrijdleider, spoort hem aan, de tussentijden zijn niet goed. Mister Jos, met zijn zwarte helm achter op die motorfiets, heeft makkelijk praten. Het is veel te warm voor een toptijd. Hij mag al blij zijn als de winnaar in deze hitte onder de 2.10 eindigt.

Nee, de blanke man ziet niet eens dat zijn arm pijn doet, die heeft alleen maar oog voor de klok en de bidons.

'Blijf drinken!' roept hij steeds.

Daar reikt hij weer een fles aan, verdomme, nee, krijgt hij 'm ook nog hard in zijn rechterhand gedrukt. Nog even maar, flitst het door zijn hoofd, dan is daar de bocht naar rechts, de laatste naar de finish.

Hij ziet aan de houding van Simon dat hij gaat versnellen. De kleine man verbijt de pijn. Hij weet dat hij niet mee kan. Hij is kapot, zijn bovenbenen schreeuwen het uit. Hij kijkt om naar zijn volgers, maar hij ziet niemand achter zich.

Na afloop willen de Hollandse journalisten weten of die arm onderweg veel pijn deed. De kleine man, moegestreden, grijnst als een van de *mzungus* zegt dat hij zojuist een wereldrecord heeft gevestigd. Want 32 kilometer lopen met een gebroken arm, en dan nog tweede worden ook – dat heeft nog niemand voor hem gepresteerd.

Mister Jos complimenteert hem met zijn doorzettingsvermogen. Vanaf de duozit van de motorfiets zag hij inderdaad niet dat de kleine man geblesseerd was. '*You are a brave man, a tough guy.*'

Hij zegt tegen de journalisten dat marathonlopers in de training ook steeds door de pijngrens gaan. Ze kunnen een hoop hebben.

De baas van de marathon laat hem na afloop van de persconferentie naar een ziekenhuis brengen, waar wordt geconstateerd dat hij zijn elleboog heeft gebroken.

Een dag later maakt hij zich op voor de terugreis naar de groene theeheuvels van Kericho. Op het vliegveld vraagt hij de atletenbegeleider of hij ook in 2003 weer welkom is in Rotterdam.

'Natuurlijk, jij bent *mister Rotterdam*, in april 2003 loop jij weer op de Coolsingel.'

'En dan win ik,' zegt de kleine man, 'want mijn naam is Vuur.'

Nakuru-prison, Kenia, januari 2005

De kleine man ligt wakker. Hij kan niet slapen, er is te veel rumoer om hem heen. Gerochel, hoesten en gesteun in een overvolle, stinkende gevangeniscel. Naast hem zucht een medegevangene, een van de velen met wie hij deze hel deelt. De man is een krankzinnige moordenaar. Hij zou het hart van zijn vermoorde vrouw hebben opgegeten.

De kleine man rilt.

Vaak droomt hij dat hij buiten is, in de heuvels rond Kericho, dat hij met zijn vrienden traint en plezier maakt. Het leven was goed, toen. 's Ochtends, nog in het halfdonker, rennen over de vochtige rode klei, steeds harder, tot ze wel twintig kilometer in het uur draafden. En 's middags, met de auto door de Nandi Hills naar Eldoret – voor snelheidstraining op de atletiekbaan.

Daar zag hij weleens gevangenen voorbij schuifelen, geketend en gekleed in vuilwitte overalls. Slepend met stenen en zakken zand werkten ze aan de weg. Hij zag ze terwijl hij zijn rondjes liep maar besteedde verder weinig aandacht aan hen. Want zo was het leven in Afrika – je had veel sukkels en een paar winnaars, en hij was een winnaar.

Nu draagt hij zelf zo'n overall en al wordt hij niet verplicht tot dwangarbeid, echt goed gaat het niet met hem. Als atleet woog hij 51 kilo, nu is daar zeker vijf kilo af. Hij is vel over been. En dan heeft hij nog het geluk dat zijn vrouw hem geld en eten brengt. Zijn vrienden, sommigen van hen zijn atleten, stoppen hem vaak wat shillings toe. Daarmee kan hij weer bescherming kopen. De bewakers, ruw volk en zwaar onderbetaald, reageren hun frustraties af op de gevangenen. Soms worden zij gedwongen urenlang op hun knieën door de gang te kruipen, tot het bloed de vloer besmeurt.

Overvol is het hier, in de gevangenis van Nakuru. Het was een schok voor hem toen hij werd binnengebracht. Lieve Heer, hij wist niet dat er zo'n wereld bestond. Het eten is slecht, vaak half gekookt, gevangenen worden geslagen, het aidsvirus tiert welig en er wordt openlijk verkracht.

Tot dusver bleef de kleine man buiten schot: hij heeft zijn dollars, hij kan gunsten en vriendschappen kopen.

Maar al die dollars kunnen hem niet buiten het hoge hek brengen. Ja, hij heeft het geprobeerd. Hij heeft de vrouw van de vermoorde man geld – heel véél geld, hoor – willen geven. Als compensatie. Als ze dat had aangenomen, was hij nu wellicht weer vrij man geweest. Zo gaat dat in Kenia. Maar de vrouw weigerde, ze was ontroostbaar geweest na de moord op haar man.

De kleine man huivert op zijn matras en krabt in zijn kruis. Gek wordt hij van de luizen hier, de muggen, de ratten die langs de muren scharrelen, op zoek naar etensresten.

Gisteren is Tom Ojienda, zijn advocaat, op bezoek geweest. Hij ergert zich soms aan die rasoptimist, in zijn mooie kostuum. Ze hebben zijn zaak doorgenomen. En wéér doorgenomen.

'Als je volhoudt dat het een ongeluk was,' zei de jurist, 'dat het pistool per ongeluk afging, dan ben jij binnenkort weer een vrij man. Dan ga je weer lopen.' De kleine man had zwijgend naar zijn advocaat geluisterd. Lopen? Hij? Na anderhalf jaar ondervoeding en stilstand?

Hij wil de jurist graag geloven, maar eerlijk gezegd weet hij zelf niet eens meer wat er op die fatale februari-avond in 2003 precies is gebeurd. Ja, hij was *very* dronken geweest. Ja, het pistool was in zijn handen geweest. Ja, hij had geschoten, het was per ongeluk afgegaan. Toch?

Maar hoe hij bij het huis van de *chief* was gekomen – hij had geen idee.

'Je vond dat pistool op de bar,' zei Ojienda. 'Het was van de politieman waarmee je samen bier had gedronken. Toen hij wegging, vergat hij zijn pistool. Dat heb jij vervolgens achteloos in je zak gestoken, met de bedoeling het later aan hem terug te geven. Daarna maakten een paar vrienden van je ruzie met de *chief*, over de vrouw van een van je vrienden.

Iedereen was dronken,' zei de jurist. 'Er werd gevochten en jij probeerde de ruziemakers te scheiden. Toen is dat pistool, dat je nog in je zak had, per ongeluk afgegaan en was Bett dood. Dat is alles.

Een ongeluk, een verschrikkelijk ongeluk!' herhaalde Ojienda. 'Zo hebben we het toch ook aan *judge* Apondi verteld? Dat je met moordneigingen naar het huis van de *chief* bent gegaan, zoals de officier van justitie zegt, daar klopt niets van. Allemaal onzin.'

'Maar die getuige dan? Kosgei, het neefje van de *chief*, dat snotjochie dat zijn verhaal heeft mogen vertellen in de rechtszaal?'

'Dat was een onbetrouwbare leugenaar.'

Een kwartiertje later stopte Ojienda de papieren in zijn koffertje en vertrok, de poort door, die heerlijke buitenlucht in. De zoete vrijheid in.

De kleine man, met de achternaam die betekent hij-werd-geboren-toen-iedereen-sliep, die man draait zich om op zijn matras. De krankzinnige moordenaar naast hem kreunt.

Spijt heeft hij, spijt van alles. Spijt dat hij zo veel gedronken had die avond, zo veel dat zijn geest beneveld raakte. En dat, terwijl hij moest trainen voor zijn vierde marathon in Rotterdam, anderhalve maand later. Rotterdam lijkt een verre droom, een paradijselijk oord, hier in de stinkende volle cel in Nakuru, vol zuchtende medegevangenen.

Na het schietincident in Kaplelach was de dronken kleine man als een haas naar het trainingskamp in Kericho gereden, zijn auto met te hoge snelheid over slechte wegen sturend. Hij had haastig wat spullen bij elkaar geraapt en was naar Nairobi gegaan, waar hij op het eerste vliegtuig richting Europa was gestapt.

Ook dat was stom geweest. Dat werd nu als een vlucht, als een bekentenis, gezien. Als bewijs dat hij wel degelijk, bij volle bewustzijn, de trekker van het pistool had overgehaald.

Zelf weet hij wel beter, het was de paniek geweest, een pure paniek.

In Italië, in het trainingskamp nabij Turijn, deed hij of er niks aan de hand was. Hij trainde hard, het vierde optreden in Rotterdam wachtte. Zijn managers, Eric en Gianni, wisten van niets. Maar weldra was de geruchtenstroom vanuit Kenia op gang gekomen: hij zou een man in de mond hebben geschoten, hij was een wrede moordenaar. Andere Keniaanse atleten in het trainingskamp hadden schichtig van hem weggekeken. Ze braken hun gesprekken af wanneer hij binnen gehoorsafstand kwam.

Gianni vroeg of het waar was, dat van die schietpartij. Hij had aarzelend toegegeven dat hij op een man had geschoten die de vrouw van een vriend verkracht had; dat het zelfverdediging was, géén moord met voorbedachten rade.

Gianni stuurde hem terug. Hij wilde als atletenmanager zijn toch al fragiele relaties met de Keniaanse autoriteiten niet op het spel zetten.

'Als het zelfverdediging was, heb jij toch niets te vrezen?' zei hij nog.

Maar op Jomo Kenyatta Airport vergeleken ze zijn paspoortnummer – B 056518, hij kende het nummer door het vele reizen uit zijn hoofd – met de nummers op een lijst, en werd hij geboeid afgevoerd.

Nee Gianni, Kenia is geen Italië, denkt hij verbitterd.

In oktober sprak de officier van justitie in de rechtszaal van een 'eersteklas moord', een vergrijp waarop de doodstraf staat.

In Kenia worden moordenaars opgehangen, al is een dergelijke executie sinds 1987 niet meer uitgevoerd.

'Dus wees niet bang voor de dood,' zei de ijdele advocaat na de eerste zitting, 'president Mwai Kibaki verleent alle moordenaars gratie.'

Gratie?

De kleine man zucht op zijn matras in de bedompte cel. In plaats van de strop krijgen ze een levenslange gevangenisstraf. En levenslang, hier in de hel van Nakuru, staat toch gelijk aan de doodstraf?

Kaplelach, Cool Fire-bar, maandagavond 17 februari 2003

Nee, weent Joyce, ze heeft natuurlijk niet vrijwillig met hem geslapen, hij heeft zich aan haar vergrepen, de *chief* was dronken.

De jonge vrouw huilt met hoge uithalen. Ze is erg overstuur.

'Ik heb gevochten als een leeuwin, maar hij was sterk en bedreigde me.'

John, haar man, staat briesend tegenover haar. Hij heeft zijn vrouw geslagen toen hij hoorde dat ze seks heeft gehad met de chief van het dorp.

Op de houten bar in de donkere, rokerige kroeg staan halfvolle glazen, lege flesjes Tusker Premium en flessen, gevuld met het lokale brouwsel Kumi Kumi.

De drie vrienden van de man – atleet Kenneth, chauffeur Charles en politieman Stephen – kijken zwijgend toe, met rode, waterige ogen van de drank.

De man vloekt, de vernedering, de publieke schande, hier, voor zijn vrienden, is totaal. Zijn vrouw verkracht, ook hij is misbruikt.

'Je moet wraak nemen,' mompelt de chauffeur. 'Dat pik je toch niet, man?'

‘Weet je wat ik zou doen…?’ De atleet maakt met zijn hand een veelzeggend gebaar langs zijn keel.

De politieman zwijgt. Hij zet een halfvolle fles aan zijn mond.

De vernederde echtgenoot gooit uit woede opnieuw een glas tegen de muur.

‘Ik ga hem te grazen nemen,’ roept hij, verblind door haat.

‘We gaan mee,’ zeggen de anderen.

De atleet, de kleine man, staat als laatste op. Hij zoekt zijn autosleutels. Te midden van de smerige glazen en flessen vindt hij ze, naast het pistool van de politieman.

Kenneth Cheruiyot pakt de sleutels en het pistool, en stommelt naar buiten, achter zijn dronken vrienden aan – de heldere Afrikaanse nacht in.

Naschrift: De rechter in Nakuru oordeelde in maart 2005 dat de dood van chief Bett een ongeluk was. Kenneth Cheruiyot werd vrijgelaten, maar zijn oude niveau haalde hij nooit meer. Hij is getrouwd met Nancy Langat, die tijdens de Olympische Spelen van 2008 goud won op de 1500 meter.

Sylvain Ephimenco

Een trainingsdag in de hel

Plots verschijnt de werper in mijn rechterooghoek. Een Toscaanse Tarzan met blote borst waarin een jungle van krullend zwart haar is geworteld. Onbekommerd en nonchalant loopt hij tussen de duizenden gaten in het gras, die regens van slingerkogels in de loop der jaren hebben achtergelaten. Een kunst die ik nog steeds niet bezit en waarvan het gebrek mij al een paar keer bijna een enkel heeft gekost. In de beschaafde wereld dempen kogelslingeraars na iedere worp hun eigen putjes.

Hier al een eeuwigheid niet meer.

Hier kan en mag alles. Twee zomers geleden moest ik zelfs op gezag van een uit het niets opgedoken gemeenteambtenaar mijn training onmiddellijk staken. De man die naar mij toe rende, gebaarde wild en nerveus. Als een semafoor op zijn zinkend vlot. Een minister uit de nationale regering, schreeuwde hij me toe, had wat ruimte nodig om ergens met zijn helikopter te landen. *'Ferma te! Ferma te!'* Stoppen dus. Ergens bleek die dag mijn werpsector te zijn. Ik wilde natuurlijk geen ministeriële helikopter met een schijf van twee kilo uit de lucht halen en staakte de training. Voor je het weet heb je de Camorra, Cosa Nostra en de 'Ndrangeta gezamenlijk op je dak omdat ze van die man nog iets tegoed hadden. Een half uur later koos de hoogwaardige bezoeker uiteindelijk voor een nabijgelegen veldje. Misschien vond de piloot dat landen op een gatenkaas een hachelijke onderneming was. Kort daarop gierde langs de atletiekbaan een optocht van loeiende sirenes. Waarschijnlijk op zoek naar een goed restaurant of een vergeten maîtresse.

Ik kan mijn rotatie met een brute beweging nét onderbreken.

Een pijnscheut zaagt mijn rug doormidden. De discus glipt uit mijn hand, sterft als een rot vis in het net van de kooi om vervolgens morsdood op de betonnen grond te ploffen. Het leven van de onvoorzichtige Tarzan is tenminste voor even gered.

Het zweet gutst langs mijn slapen, zet mijn ogen in brand en verzuurt mijn blik. *Dio cane*, vloek ik in mijn beste Italiaans, het moet in die volle zon wel een kleine vijftig graden zijn! Toch is niet de beet van de zonnestralen het ergst maar de ondraaglijke en slopende luchtvochtigheid. Ingeklemd tussen de dampende zee, drie kilometers verderop, en de bergen waarop luie wolken blijven hangen, lijkt de atletiekbaan van Pietrasanta op een oververhitte fluitketel. Alleen heeft niemand hier nog zin om iets te fluiten. Zuchten, hijgen en happen naar die natte lucht is het lot van de gekken die de schaarse schaduw van de bomen langs de baan durven te verlaten. Na twee bewegingen ben je al een liter lichaamsvocht kwijt. En wie hier niet met een fles mineraalwater binnen handbereik traint, droogt in een mum van tijd uit.

Ik wil de onbekende iets lelijks in het Italiaans toeschreeuwen. '*Stronzo*', '*pazzo*' of nog erger: '*Va fan culo*.' Wie loopt nou dwars door een werpsector als een werper zich in de kooi klaarmaakt om te smijten? Maar ik versteen in dat omhulsel van zout dat mij een aura van kwaadaardigheid verschaft. Ik versteen omdat ik voor het eerst in mijn leven het spektakel mag aanschouwen van een telefonerende speerwerper. We zijn natuurlijk in Italië waar Dante zijn hel heeft geconcipieerd en waar alle eerste keren vorm krijgen.

Met open mond en tranen van azijn in de ogen aanschouw ik de atleet. De speerwerper is duidelijk bezig met zijn warming-up. Hij loopt door het veld te prikken met zijn speer van achthonderd gram. Een oranje trainingsspeer waarvan de verf flink is afgebladderd en het koordje van het handvat loshangt. Met zijn rechterhand haalt hij telkens weer de speer naar achteren, maakt zijn arm lang en werpt het ding met een slappe boog een meter of tien voor zich uit.

Met zijn linkerhand houdt hij een mobiele telefoon tegen zijn gehoor geplakt. Maar deze atleet is slim. Een gewone sterveling zou het mobieltje met zijn linkerhand tegen zijn linkeroor houden. De geoefende speerwerper weet dat hij hiermee de spanning uit zijn torso zou halen, wat het werpen zou beroven van zijn intensiteit en efficiëntie en zou resulteren in een armworp. Daarom belt hij zoals een speerwerper met zijn vrouw hoort te bellen wanneer hij aan het prikken is: met de linkerhand tegen zijn rechteroor. Een volstrekt onnatuurlijke beweging voor de gewone sterveling maar voor de telefonerende speerwerper een ingenieus compromis dat hem het gevoel moet geven toch met iets nuttigs bezig te zijn. Italië is het land van wereldvreemde compromissen bij uitstek.

Mijn Tarzan zegt misschien tegen zijn Jane via zijn 06 dat ze de spaghetti vanavond *al dente* moet koken. Ik gebaar hem met ingehouden agressiviteit dat hij zo snel mogelijk moet opkrassen. Hij gebaart me vriendelijk terug dat hij nog in gesprek is en dat ik even geduld moet hebben.

Dat heb ik.

Intussen is het ventje met het voetbalshirt van Materazzi (de man die de zus van Zidane voor hoer uitmaakte tijdens de WK-finale en als gevolg daarvan een legendarische kopstoot moest incasseren) mijn kooi gevaarlijk dicht genaderd. Het ventje van nog geen meter en dat hooguit zes of zeven jaar moet zijn, wordt door zijn trainende moeder verwaarloosd, regelmatig aan zijn lot overgelaten en mag dus tijdens haar training in zijn eentje rondjes op het gras lopen. Zigzaggend tussen de vallende discussen en slingerkogels. Ik heb deze lastige Pinocchio voor zijn eigen veiligheid wel honderd keer moeten verjagen. Maar hij praat en verstaat alleen een soort dialect waarmee zelfs Robert de Niro in *The Godfather II* niet uit de voeten zou kunnen. Ik wil hem voor de zoveelste keer waarschuwen en afblaffen. Maar ik zie hoe hij aan de rechterkant van de kooi plots halt maakt, zijn piemel uit zijn gulp tevoorschijn haalt en tegen het net begint te plassen. Het urinestraaltje dat door de mazen druipt is gelukkig niet sterk genoeg om mijn heuptasje met paspoort, geld en creditcards te bereiken dat binnen de kooi op de grond ligt.

Moedeloos en zonder omkijken naar de zich verwijderende Tarzan en Pinocchio, beslis ik de training voort te zetten. Waarom zou ik moeten klagen? Ik ben natuurlijk de strakke regie gewend die op de Nederlandse atletiekbanen gangbaar is. De veiligheidsnormen die gerespecteerd dienen te worden. De codes, geboden en verboden. Maar Rotterdam en Noord-Europa zijn ver en deze cultuur van Italiaanse anarchie heeft ook zijn charmes, nietwaar? De Italiaanse automobilisten die iedere dag, in de meest krankzinnige verkeerssituaties, een keer of tien aan de dood ontsnappen, klagen toch ook nooit? En toeteren uit wraakzucht doen ze ook niet. Ze weten dat ze na de volgende bocht hun positie van potentieel slachtoffer zullen inruilen voor die van virtuele moordenaar. Iedereen doet wat-ie wil, schoffeert de regels en laat de medeovertreder vrolijk voort overtreden. Leven, laten leven en, met een beetje geluk, overleven.

Bovendien ben ik serieus bezig om mij voor te bereiden op het WK-veteranen dat volgende maand in Riccione begint. Deze kustplaats ligt op nog geen driehonderd kilometer van mijn geliefde Pietrasanta waar ik ieder jaar de zomer doorbreng. Zelfde sfeer, klimaat en mentaliteit. Ideaal als voorbereiding.

'Sylvanoooo!'

De stem van Enzo moet zeker een vijf of zes op de schaal van Richter kunnen behalen. Maar dit is helaas niet alles. Na zijn eerste begroetingskreet die gewoonlijk de aarde lelijk doet trillen, laat Enzo een tsunami van woorden op zijn slachtoffer los die deze in wanhoop doet verdrinken. En het slachtoffer van de brullende Italiaan ben ik nu al weken. Enzo, die enorme reus van een vijftiger met pastapens, sleept gewoonlijk zijn puffende dochter met rood hoofd achter zich aan. Uren achter elkaar laat hij haar zwoegen in de kooi. Voor haar bewaart hij hele dromen vol kampioenschappen en medailles die hij met militaristisch geschreeuw begeleidt. Daarbij vergeleken is de sergeant uit Stanley Kubricks *Full Metal Jacket* een mietje. Nu hij mij heeft ontdekt, wil Enzo een nieuw project starten: die rijpe buitenlandse atleet klaarstomen voor een glorieuze toekomst. Zijn gage, in geval van succes, heeft hij zelf al bepaald: een solide maaltijd bij restaurant Il Gato Nero die ik uit eigen zak moet betalen. Enzo heeft zich dus ongevraagd opgeworpen als mijn privétrainer met een hand van gewapend beton. Ik heb hier niets in te brengen. Het voelt alsof je tegen je wil wordt uitgehuwelijkt. Aan Ségolène Royal of Rita Verdonk.

Zodra hij verschijnt, zijn rust en concentratie weg. Enzo steekt dan zijn neus door het net, en begint met zijn speeksel in mijn richting te mitrailleren. Hij sproeit, spuugt, tiert, brult, vermaant, jammert, vloekt en sneert. Er bestaat geen honderdste van een seconde die hij niet met een tiental woorden kan vullen. Je kunt dan niet meer denken en durft zelfs geen adem meer te halen. Je ondergaat gedwee de marteling. Kan Fellini niet even uit zijn graf stappen om hier wat beeld te schieten? Het deert Enzo niet dat ik de helft van zijn snelle zinnen niet versta. Als hij maar de sluis van zijn strot wijd open kan zetten waartegen een vloed aan verbale decibels klotst. Soms wordt hij door zijn vrouw vergezeld. Een kleine Italiaanse die een plastic stoel bij de werpkooi zet en uren stil en starend naast de ring kan zitten.

'Sylvanooo!'

Door de sluier van brandend zweet die mij pijnlijk verblindt, probeer ik in de verte de massieve gedaante van mijn kwelgeest te ontwaren.

Maar wat ik zie zijn de renners die op hun racefietsen aan hun helse rondjes zijn begonnen. Want de atletiekbaan van Pietrasanta is waarschijnlijk de enige ter wereld waar ook mag worden gefietst. Niet direct op de piste van tartan. Daarvoor heeft men naast de buitenbaan een strookje van beton aangelegd. Daardoor is de atletiekbaan van Pietrasanta wel de gevaarlijkste ter wereld. Om de kunststofbaan te betreden moet je namelijk eerst de fietsstrook oversteken waar racers met meer dan veertig kilometer per uur scheuren. En door de logge tribune links wordt het zicht op de aanstormende tweewielers je geheel ontnomen.

Ik dacht aan het einde van mijn beproevingen te zijn, maar het ergste moet nog komen. En dit in een oorverdovende herrie. De terreinknecht op zijn grasmaaier. Een soort infame tractor die het gemaaide afval meters hoog in de lucht achter zich opstuwt. Ik verdenk de man ervan een intense haat te koesteren jegens sport en sporters. En dat hij zijn werk als een straf ervaart die hij graag met onschuldige atleten wil delen. Precies tijdens de uren waarin werptrainingen zijn toegestaan, haalt hij zijn spugende monster uit de garage. Dan raast hij als een bezetene recht op de werpers af. Er zit niets anders op dan te vluchten of met werpmateriaal op zijn hoofd te mikken. Dat heeft nog niemand durven doen, zoals niemand ooit heeft durven protesteren tegen de almachtige maaier. Italianen kunnen heel erg fatalistisch zijn.

Wie niet vlucht, wordt onmiddellijk omgeven door een wolk van grasafval die lang in de hete lucht blijft hangen. Als dat eenmaal neerdaalt, gaat het tegen je transpirerende huid plakken. Het jeukt en kriebelt zo erg dat alleen een flinke douche nog kan helpen. Het probleem is dan dat het water dat uit die douche komt onveranderd heet is. Omdat kilometers leidingen niet zijn ingegraven en bloot onder de zon liggen te smelten. Bovendien zijn de douchegelegenheden een broeinest van muggen die je tussen de hete waterstralen nog weten te bijten ook.

Het is mij ineens te veel.

In de verte zie ik de plassende Pinocchio en de telefonerende Tarzan, de rondcirkelende fietsers op hun betonnen baan. Door de wolk van grasafval die wervelend op me afkomt, probeer ik een eventuele helikopter te ontwaren. Ik pak snel mijn spullen en zet het op een sprintje richting de kleedkamers. De lucht is verstikkend. Ik zie niets meer door de zure transpiratie. Achter mij hoor ik de kreten van Enzo die mij achtervolgen. Ik wil weg uit die Italiaanse hel.

Gijs Wanders

De ondergang van Tonton

In zijn eentje draaft de atleet door de marathonpoort. Onder klaroengeschal betreedt hij het Olympisch Stadion van Amsterdam, op weg naar zijn eerste marathonzege. Het is een onbekende, donkerhuidige loper.
Mannen met gleufhoeden en keurig geklede dames op de tribune reiken hun halzen. Ze zijn diep onder de indruk: dat iemand met zo'n tenger lijf zo hard kan lopen, 42 kilometer lang, langs de Amstel, eerst naar Uithoorn en dan met een straffe tegenwind terug naar Amsterdam, over stoffige wegen en langs grazige weiden, een bovenmenselijke prestatie!
De verrassende koploper is een Arabier. De meeste mensen hebben nooit van hem gehoord. Ze hebben er geen idee van hoe zijn naam wordt uitgesproken, maar hij is een held en bij de finish wacht hem een gouden olympische medaille.
Wat niemand van de vijfenveertigduizend toeschouwers weet, ook de atleet zelf niet, is dat hij zijn ondergang tegemoetloopt. Dat blijkt in de jaren erna.

Het is zondag 5 augustus 1928. Amsterdam organiseert de Olympische Spelen en beleeft zijn eerste marathon. Achtenzestig atleten uit alle werelddelen zijn tweeënhalf uur eerder uit het stadion vertrokken. De afstand is opgemeten door landmeters, het leger heeft gezorgd voor veldtelefoons.

De kranten hebben het de volgende dag over 'leegogige stakkers' die, tot verwondering van toeschouwers, gratis mogen eten en drinken bij verzorgingsposten met op de eettafels: thee, koffie, kwast, bananen, sinaasappelen, citroenen en hardgekookte eieren.

Een ooggetuige langs het parcours: 'Er waren er wier gelaat verwrongen was, die schier wezenloos, met starende ogen voortsjokten en die, toen ze eenmaal stilstonden bij de tafel, bijna door hun knieën zakten.'

Nederland was niet vertrouwd met de marathon.

Kenners hebben hun geld gezet op een Engelsman, maar een Algerijn rent als eerste over de finish. Het is de 29-jarige Ahmed Boughéra el Ouafi. Een enkeling weet hoe je die naam uitspreekt: El Waffie. Zijn bijnaam is makkelijker: de Vliegende Berber. Bij de vorige Olympische Spelen, in 1924 in Parijs, is hij al zevende geworden.

Een vriend heeft hem in de laatste kilometers van Amsterdam wat mentholsnoepjes aangereikt en gezegd dat die hem bijzondere krachten geven. En het onwaarschijnlijke is gebeurd: de bijgelovige El Ouafi heeft de één na de ander ingehaald, alle grote namen is hij voorbij gestoven.

In het Olympisch Stadion van Amsterdam toont hij geen enkele vermoeidheid. Hij is zeker van de overwinning. Zijn voorsprong op de nummer twee bedraagt een halve minuut. De Algerijn verovert goud, en niet alleen dat: hij is de eerste Afrikaan die een olympische marathon wint, al draagt hij een Frans tenue en klinkt bij de ceremonie het Franse volkslied. Algerije is immers nog een kolonie van Frankrijk.

Met een tijd van 2.32.57 bij tegenwind in de finale – het wereldrecord staat op 2.29 – lijkt er een mooie toekomst voor de Algerijn weggelegd. Maar zijn roem is betrekkelijk. Op de massagebank drukt zijn trainer hem tien gulden in de hand met de woorden: 'Pak aan! Sta op, ga de stad in en amuseer je.'

De miskenning zou ergere vormen aannemen.

Het is vrijdag 8 juli 2005. Met een foto van de marathonzege van de Vliegende Berber arriveer ik in Parijs. In de Franse hoofdstad ligt hij begraven, gestorven in de armen van zijn nicht Zoulara Zeroug.

Zij leeft nog. Ik zal haar ontmoeten en voel enige opwinding.

De vrouw wacht me op bij het station van Pierrefitte- Stains, een buitenwijk van Parijs. Het eerste wat opvalt, is de gelijkenis. Zoulara Zeroug heeft het uiterlijk van haar oom, een getint gezicht en klein van stuk. Ze is 62 jaar en moeder van zeven kinderen, van wie er twee zijn overleden.

Het leven heeft haar niet getekend, tenminste niet aan de buitenkant. De vrouw oogt vitaal en vrolijk. Ze draagt een tuinbroek en sportschoenen en vanonder haar cap begroet ze mij met een brede lach van witte tanden. Ik mag haar Zouzou noemen.

De vrouw woont vierhoog in een migrantenwijk. Op het binnenplein staan bomen. Zwerfvuil verstoort de romantiek, een kinderstem verbreekt de stilte. De buitenmuur wordt gesierd door een mozaïek van steentjes. Maar ze laten los en van het oorspronkelijke figuur is niets meer over.

In haar woning is de rommel nauwelijks nog te ordenen. Ze zit midden in de verhuizing van haar dochter, zegt ze verontschuldigend. De beloofde foto's van haar oom, die ze liefkozend Tonton noemt, heeft ze daardoor niet kunnen vinden.

'Mijn oom was een lieve man, een eenvoudig mens. Hij woonde jaren bij ons. Bij mijn geboorte heeft hij me mijn naam gegeven. Hij bracht me vaak naar school. Bij hardloopwedstrijdjes gaf hij het startschot. Ik was trots op hem.'

Ze gaat erbij zitten en vertelt zijn geschiedenis. Haar oom vertrok als eerste van de familie uit Algerije. Dat gebeurde niet vrijwillig: hij was ingelijfd in het Franse koloniale leger en moest in de Eerste Wereldoorlog vechten tegen de Duitsers. Na de overwinning mocht hij niet naar huis. Zijn eenheid werd gelegerd in het overwonnen Duitsland.

'Mijn oom deed veel aan sport in het leger,' zegt Zouzou. 'Hij blonk uit in hardlopen. Hij had een enorm uithoudingsvermogen, dankzij veel en fanatiek trainen in de woestijn.'

Zijn talenten waren zijn superieuren in het leger niet ontgaan.

Een luitenant stuurde hem naar Parijs, want Frankrijk zocht kanshebbers voor een medaille bij de Olympische Spelen die het land in 1924 mocht organiseren. El Ouafi kwalificeerde zich en stelde bij de Spelen niet teleur. Hij werd zevende op zijn eerste marathon.

'Hij bleef nadien in Parijs,' vertelt Zouzou. 'Hij veegde bij Renault de vloer van de fabriekshallen. Hij had nooit een opleiding gehad. In de vrije uren werkte hij aan zijn conditie bij de sportvereniging van de fabriek. Lopen was zijn gave, maar hij kon er niets mee verdienen. Sporters moesten in die tijd amateur zijn, anders mochten ze niet deelnemen aan wedstrijden.'

Hij liet zijn zus en zwager overkomen uit Algerije. Uit hun huwelijk werd Zouzou geboren.

Ze loopt naar de kast en haalt medailles tevoorschijn van de marathons die ze zélf heeft gelopen.

'Geïnspireerd door mijn oom,' lacht ze.

Tweemaal liep ze Chicago, tweemaal de woestijnmarathon in Algerije. Ze heeft een aardige collectie halvemarathonmedailles. Ze is van plan om dit jaar opnieuw de halve marathon van Amsterdam te lopen. Ze komt terug met een plaquette.

'In 1995 is mijn oom postuum onderscheiden,' zegt ze met zichtbare trots.

In het metaal is een beeltenis gegraveerd van de oprichter van de Olympische Spelen, Pierre de Coubertin. De medaille is afwisselend bij haar en haar broer in Algerije.

'Elk jaar loop ik in Algerije een wedstrijd. Dan draag ik de medaille op aan mijn oom. Ik zoek dan bewust de publiciteit. In Algerijnse kranten vertel ik over hem. Weinigen kennen hem nog. Een vergeten held, noem ik hem. Ik wil eerherstel. Ik voel me zijn ambassadeur.'

Erkenning heeft hij ook in Frankrijk nauwelijks gehad. De treurigheid van het graf van El Ouafi is symbolisch: een sobere steen met een verkeerd geboortejaar, bedreigd door woekerend onkruid.

Het kerkhof is nauwelijks te vinden. Het ligt in Bobigny, aan de rand van Parijs, verscholen in de rommelige bedrijvigheid van een industriegebied. Veel grafzerken brokkelen af tussen het onkruid. Het is een islamitisch kerkhof met een apart gedeelte voor Algerijnse moslims die gediend hebben in het Franse leger. El Ouafi was een van hen.

'De gemeente wilde het kerkhof opdoeken,' zegt Zouzou verontwaardigd. 'Steeds meer doden werden na de onafhankelijkheid in Algerije herbegraven. Dus kon het kerkhof wel verdwijnen, vonden de autoriteiten. Ongelooflijk. Deze mannen hebben voor Frankrijk gevochten! Gelukkig is de gemeente geschrokken van ons verzet. De plannen gingen niet door.'

Het kerkhof is gebleven, maar ook de troosteloosheid. Het graf van El Ouafi ziet er beter uit dan de andere zerken maar je loopt er zo voorbij. Niets duidt op een prominent kampioen. Ik maak een foto en bedenk een grafschrift: 'Goud zonder erkenning.'

Door de Algerijnen werd El Ouafi gezien als verrader. Hij liep immers onder Franse vlag en in het tenue van de overheerser. Maar voor de Fransen was hij weinig meer dan een inheemse uit de Sahara. Erkenning kreeg de Vliegende Berber hooguit aan de andere kant van de oceaan: in Amerika. Na zijn olympische goud in Amsterdam werd hem een profcontract aangeboden door de eigenaar van een circus. In Madison Square Garden in New York liep hij tegen mensen en dieren.

Tegen een journalist zei hij daarover: 'Het was voor mij een grote kans om vooruit te komen. Van een autofabriek in Parijs naar Amerika. Alles werd betaald.'

Maar zijn nicht Zouzou kent de keerzijde van het verhaal: 'Mijn oom was eenzaam. Hij sprak de taal niet en voelde zich een kermisattractie. Hij miste zijn familie.'

Na een half jaar keerde hij dan ook terug naar Parijs, een klein vermogen rijker. Hij mocht geen wedstrijden meer lopen in Frankrijk, want hij was prof geworden en had daarmee zijn amateurstatus verspeeld.

'Dat was voor hem een bittere teleurstelling,' weet Zouzou. 'De Chileense atleet die in Amsterdam als tweede was geëindigd had van zijn president een villa gekregen en hij, die goud had gewonnen, werd door zijn president gediskwalificeerd.'

El Ouafi kocht met een compagnon een café bij station Austerlitz in Parijs. De argeloze Algerijn werd door zijn zakenpartner bedrogen. Hij was op slag straatarm. In een van zijn schaarse interviews zei hij: 'Ik voel me een sukkel. Als ik bekenden op straat tegenkom, probeer ik ze te ontwijken. Ik schaam me. Ik ben een mislukkeling. Waarschijnlijk zal ik niet eens op een normale manier doodgaan.'

El Ouafi kon geen werk vinden. Hij raakte aan de drank en verdween in de anonimiteit tussen de clochards van Parijs. Zouzou wil niets kwijt over de zwarte periode die volgde. Als ik ernaar vraag, begint ze over iets anders of loopt weg om iets te halen.

Haar oom leefde voort in de vergetelheid, totdat Frankrijk 28 jaar later een nieuwe olympische marathonwinnaar had, eveneens een Algerijn: Alain Mimoun. Na zijn overwinning bij de Olympische Spelen van 1956 in Melbourne, herinnerde men zich in Frankrijk dat er ooit een andere Algerijnse kampioen was geweest, de Vliegende Berber.

Een televisiepresentator wilde beide atleten in zijn programma. Hij spoorde El Ouafi op, maar de 57-jarige Algerijn was alcoholist en kon zich zijn triomf in Amsterdam nauwelijks nog herinneren. Er werd geld ingezameld om hem een nieuwe start in het leven te geven. En er was zelfs een receptie voor hem bij de president op het Elysée.

Maar het eerherstel kwam te laat. El Ouafi was een menselijk wrak en zou drie jaar later sterven. Geen natuurlijke dood, hij stierf door kogels. Zijn naam leeft voort op een troosteloos kerkhof. En er is een straat naar hem vernoemd. Bij het Stade de France, het grote stadion van Parijs. Daar is de Rue Ahmed Boughéra el Ouafi. Daar wél met het correcte geboortejaar.

De straat die naar El Ouafi is vernoemd, werd aangelegd tijdens de bouw van het Stade de France. Het stadion, geopend in 1998 tijdens het WK voetbal, staat in Saint Denis, een voorstad van Parijs. Wegen in de directe omtrek dragen namen van sporthelden.

Net als op het kerkhof is ook hier geen prominente plaats voor de Vliegende Berber. De straat met zijn naam is de op- en afrit van een ringweg. Je bent er zo voorbij. Het naambordje valt pas op als je moet wachten voor het stoplicht.

Niet ver ervandaan is de Algerijn aan zijn eind gekomen, in het café van zijn zus. Het gebeurde laat op een avond in 1959, niet in het café zelf, maar in de woning erboven.

Er gaan veel verhalen over wat zich daar heeft voorgedaan. Een politieke afrekening, schreven kranten, de zus zou hebben geweigerd geld te betalen aan de Algerijnse onafhankelijkheidsbeweging FLN.

Maar er waren ook berichten over een commando van de rechts-extremistische OAS. Die zou El Ouafi hebben gedood omdat hij de Algerijnse bevolking zelfbewust maakte in haar gevecht tegen de Franse koloniale overheersing. Het waren geruchten: speculaties, die niet werden gestaafd door feiten. Ik hoop op een getuigenis van Zouzou. Zij was erbij die avond. Ze was zestien jaar toen kogels een einde maakte aan het leven van Tonton, haar lievelingsoom. Ik vraag het haar: wat is er gebeurd die avond?

Het wordt stil in de kleine kamer met gekrulde meubels, souvenirs en rondslingerende papieren. Zouzou kijkt voor zich uit. Ze zoekt in het verleden naar de herinnering. Met zachte stem zegt ze: 'Hij is in mijn armen gestorven. Samen met mijn moeder.'

Ze probeert haar emoties te beheersen. Haar handen verkrampen. Ze wil niet huilen. Het lukt haar niet. Tranen vallen op de zakdoek. Zouzou schudt haar hoofd. Ze wil er niet te veel over zeggen maar de geruchten moeten de wereld uit.

'Het was geen politieke moord,' zegt ze. 'Het had niets te maken met de onafhankelijkheidsstrijd van de Algerijnen. Mijn oom stond ver van de politiek. Het waren ook geen commando's van extreem rechts. Het was een familieruzie.'

Zouzou vertelt het werkelijke verhaal: een neef wilde trouwen met haar zus, die weduwe was en geld had. Maar haar zus zag een huwelijk met deze neef niet zitten, wat ze hem al vaak duidelijk had gemaakt. Toch bleef hij aandringen.

'Op de avond van de achttiende oktober kwam hij terug,' zegt Zouzou. 'Hij had iemand meegenomen met een wapen, iemand die wij niet kenden. Het begon met een woordenwisseling. Mijn moeder en mijn oom namen het voor mijn zus op.'

Ze houdt even stil en schudt haar hoofd alsof ze nog steeds niet kan geloven dat het zo is gebeurd.

'Meteen daarna begon het schieten. De onbekende richtte zijn wapen eerst op mijn moeder. Mijn oom wilde haar afschermen. Hij wierp zich op haar. Zowel mijn oom als mijn moeder werden geraakt. Ze stierven in mijn armen.'

Zelf werd ze verwond door een afgeketste kogel. Ze werd afgevoerd naar een ziekenhuis. Acht dagen daarna werden haar moeder en oom begraven. Ze kon erbij zijn, al was ze toen nog niet hersteld.

Haar zus was aan het drama ontsnapt. Zij vluchtte ongedeerd naar Amerika. Daar woont ze in de buurt van Los Angeles, weet Zouzou. Ze heeft haar zus na die fatale avond niet meer ontmoet. Nu, bijna een halve eeuw later, wil ze haar opzoeken. Ze heeft nog veel te vragen.

De antwoorden liggen niet meer in Parijs. Het café van de schietpartij aan de Rue du Landy 10 bestaat niet meer. De plek is een rustplaats voor autowrakken. En niemand weet dat daar de Vliegende Berber is doodgeschoten, de olympische held van Amsterdam, een antiheld van het leven.

Speciale dank aan Judith Moortgat.

Frans van Zoelen

Saluut voor Rapido

Mijn vader moet een man zijn geweest met een vooruitziende blik en aanleg voor het timen van beslissingen. Al in de jaren dertig verkoopt hij Puddingwelt AG aan Willy Krauss, een jeugdvriend uit Schöneberg. Krauss is als hoofdmecanicien zo'n beetje permanent woonachtig op vliegveld Tempelhof. Het is uitgesloten dat hij zich kan bekommeren om het zoetwarenconcern. Op papier wordt Krauss eigenaar, mijn vader blijft het bedrijf de facto leiden. Gestaag gaat hij door met van het wonderproduct waarop Puddingwelt drijft, een succes te maken. De instant tompoezen maken een onstuitbare opmars door Duitsland en de rest van Europa.

Berlijn is aan het begin van de Tweede Wereldoorlog een uitgestrekte en complexe stad. Parken, bossen en meren scheiden voorsteden en wijken van elkaar. Het commerciële centrum met hotels en winkels bevindt zich rondom Kurfürstendamm. Unter den Linden herbergt het bestuurlijke centrum met regeringsgebouwen, ambassades en diplomatenwoningen. Berlijn is een relatief veilige stad, veiliger dan het platteland en de kleinere steden die het zonder de luwte van internationale aandacht moeten stellen.

Later, veel later, vertelt Willy Krauss mij dat mijn vader zich veilig waande zo lang dit internationale toezicht in Berlijn een zeker effect had. Vaak ook vertelt Willy over mijn vaders trots in de Eerste Wereldoorlog te hebben deelgenomen aan de slag bij Tannenberg tegen de Russen. Het leverde hem een onderscheiding en een kreupel been op.

Ondanks zijn handicap sluit hij zich aan bij een atletiekvereniging. De gang van zijn mankheid komt op een wonderlijke manier overeen met de motoriek die vereist is voor snelwandelen. Aan de onverwachte snelheid waarmee hij zich kan verplaatsen, heeft mijn vader zijn bijnaam Rapido te danken. In het jaar dat hij als snelwandelaar eindelijk permissie krijgt om aan de marathon deel te nemen, wordt hij uitgesloten van het verenigingsleven.

In Berlijn komt een einde aan de relatieve rust als in het najaar van 1941 de Verenigde Staten Duitsland de oorlog verklaren, en die Berlijnse trekbeen van een geheel andere orde zijn kans schoon ziet. *Gauleiter* Goebbels is openlijk beschaamd over nog zo veel *Ballastexistenzen* in Berlijn. Mijn vader beseft dat het nog maar een kwestie van tijd is, en halsoverkop trouwt hij met zijn vriendin Marith.

De Hanauers vormen een paar dat net als de Kraussen dolgraag kinderen wil. Twee echtparen die dit zielsgraag willen, maar van wie het buiten kijf staat dat dit voor een van hen onmogelijk is. En zie, een wonder geschiedt: allebei de vrouwen raken zwanger, en hun buiken groeien in haast perfecte synchroniciteit. Aan eenieder die het maar horen wil, vertellen de twee vrouwen dat zij op dezelfde dag zijn uitgerekend.

Er volgt een race tegen de klok die ook mijn vader afmat. Van zijn gave over straat te gaan alsof niets hem kan deren, is weinig over. In plaats van bewondering te oogsten, wordt hij bespot. Patrouilles met kettinghonden maken de straten onveilig.

Ik ben in het gruwelijke jaar 1942 geboren uit vier ouders. Als kind van Simon en Marith Hanauer word ik op papier de zoon van Willy en Sabine Krauss. Reinhard noemen zij mij, Reinhard Krauss, een naam als een amulet voor een Jood, geboren in 1942 in Berlijn.

Op een maandag verdwijnen Simon en Marith. De volgende dag, dinsdag 14 juli 1942, wordt in de ochtend een roeiboot op de Wannsee aangetroffen. Daarin liggen een zilveren zakflacon met de initialen SH en een flesje valeriaan; beide zijn leeg.

Berlijn ligt na de oorlog in puin, en voor Willy is er geen emplooi als vliegtuigmecanicien. Hij probeert Puddingwelt weer van de grond te krijgen. De ruïnes van de zoetwarenfabriek staan in Moabit, aan de goede kant van de grens tussen de geallieerden en de Russen.

Sabine is een ziekelijke vrouw met een droge, scherpe hoest. Ik heb haar niet anders gekend dan als iemand die altijd pijn heeft. Al op jeugdige leeftijd masseer ik haar rug. Zij gaat mij voor naar de logeerkamer. Pas als zij met de zalfdoos op de houten vloer heeft getikt, mag ik binnenkomen en ligt zij op haar buik op het bed. Het elastiek van haar knellende ondergoed heeft moeten achtergelaten die haar lichaam in vlakken verdelen.

'Wees niet zuinig, neem voldoende zalf,' zegt zij vaak. Haar handen hangen willoos af langs beide zijden van het bed. Lange tijd denk ik dat de koraalrode plooien in haar huid haar kwaal zijn. Dat het mijn taak is om die weg te wrijven zodat haar lichaam weer een geheel wordt, en waardoor Sabines pijn zal verdwijnen.

Opeens ben ik vooral iets niet: het kind van Willy en Sabine Krauss.

Enkele dagen na mijn dertiende verjaardag nemen Willy en Sabine mij mee naar een rabbijn in Wilmersdorf. Pas later begrijp ik hun dilemma. Het moment waarop mij wat te vertellen, is nooit goed gekozen. Het is of te vroeg, of bij langer wachten zou hen worden verweten dat het te laat voor mij is nog iets met die wezenlijke wetenschap te doen.

De geestelijke, zoals Willy de rabbijn heeft aangekondigd, lijkt alle leed van de wereld met zich mee te dragen. Zijn schouders wegen zwaar en duwen zijn moede lichaam voorover. Maar zijn fonkelende blauwgrijze ogen verraden een ongebroken drang de wereld te willen begrijpen.

Er stromen tranen over zijn wangen als Willy vertelt wat ik niet en juist wél ben. De geestelijke legt uit dat er tot dusver 1122 zijn geteld die onder hachelijke omstandigheden in Berlijn wisten te overleven, en dat ik daar een van ben. 'Duikboten worden jullie genoemd. En nu weten we dat het er 1123 zijn,' zegt de rabbijn terwijl hij mij als zijn kind tegen zich aandrukt. 'Weet dat 1123 onnoemelijk veel meer is dan 1122.'

De rabbijn zegent ons alle drie. Hij benadrukt dat het een juiste keuze van Willy en Sabine was mij dit alles nu te vertellen. 'Het is zaak dat Reinhard eerst went aan wat hij niet is. Pas later komt langzaam het wennen aan wat hij wél is. Mijn huis staat altijd voor jullie open.'

Met het wennen aan wat ik niet ben, begin ik te fantaseren over Simon, Marith en de dag waarop zij verdwenen. Zijn zij die dag in hun favoriete koffiehuis aan de Moritzplaats nog wat gaan drinken? Waren zij kalm en vastbesloten? Willy vertelt dat hij de volgende dag onmiddellijk de hele voorraad van Puddingwelt beschikbaar heeft gesteld voor het Oostfront. In ruil eist hij dat er in de Wannsee wordt gedregd. Het levert niets op, maar Willy weet wel beslag te leggen op de flacon waaruit mijn vader zijn laatste cognac moet hebben gedronken, en het lege valeriaanflesje. Al heel jong besluit ik dat beide attributen er toe doen, en mij altijd zullen vergezellen. Op de eindeloze dodenlijsten die wij na de oorlog uitpluizen, ontbreken hun namen. Soms loop ik met opzet een beetje mank om mij voor te stellen hoe Simon zo snelheid heeft kunnen maken.

Ik blijf doorgaan met Sabines rug te masseren. Het geeft haar verlichting in haar laatste dagen na de ziekenhuisopname in het voorjaar van 1959. Willy is nadien niet hertrouwd, en samen hebben wij van Puddingwelt een speler van formaat op de Europese zoetwarenmarkt gemaakt. De instant tompoezen, die als succesformule tot het tafelzilver van het concern worden gerekend, zijn we Rapido's gaan noemen. Ik erf het concern als Willy in 1975 als gevolg van een skiongeluk om het leven komt.

Olympia leer ik kennen na de verkoop van Puddingwelt in 1997 aan Dr. Oetker. Ik begin een dwaze liefde voor marathonsteden te ontwikkelen. Ik maak mijzelf wijs dat een stad pas sprankelt als zij zich opmaakt voor de marathon, dat niets een stad vitaler maakt dan de energie die zo'n sportieve gebeurtenis vergt. De dagen voorafgaand aan het spektakel wil ik in de marathonstad zijn, als het straatbeeld geleidelijk aan wordt gedomineerd door het parcours verkennende lopers. Ik blijf er hangen tot enkele dagen erna om de stad weer in het gareel te zien springen.

In het voorjaar ben ik in Europa als daar de grote marathons worden gelopen. De rest van het jaar zwerf ik over de wereld van marathonstad naar marathonstad. In november kom ik over vanuit New York naar Parijs voor de slecht-weer-marathon die daar wordt gelopen.

Lange tijd heeft het venijn in de marathondag zelf gezeten, als de liefde voor het spektakel een dag lang omslaat in haat. Zonder Olympia's hulp zou ik nooit zijn genezen van het winkelen volgens de principes der wreedheid, iets wat ik bedrijf op de marathondag zelf en ver weg van het sportieve geweld in de binnenstad.

Het is vooral in Parijs waar ik met mijn Rapido-ritueel een intense opmaat naar de daaropvolgende marathondag beleef. Ik verblijf altijd in een suite van Hotel Ampère aan de Avenue Villiers, en exact om tien uur 's avonds wordt een kom warme melk gebracht.

Op het salontafeltje staan een maatbeker met puddingpoeder en een bord met het bladerdeeg en de plastic zakjes met roze suikerglazuur. Het zijn de ingrediënten uit het Rapido-pak waarmee onder alle omstandigheden in tien minuten tompoezen kunnen worden vervaardigd. De zilveren zakflacon en het medicijnflesje maken mijn Rapido-ensemble compleet. Ik giet de melk in de maatbeker en uit de flacon voeg ik Rémy Martin Louis XIII toe. Volgens Willy was dit de favoriete cognac van mijn vader. Onder het slaan van de pudding kijk ik naar buiten in de richting van Boulevard Wagram en de verlichte Arc de Triomphe. Rechts van het hotel ligt Place du Maréchal Juin met de restaurants en buffetten die uitzien op de rotonde en het park. Hier is het halvemarathonpunt en morgen golven de lopers rond het park om weer terug te lopen langs Hotel Ampère in de richting van Place du Brésil.

Nooit zie ik de volgende dag de lopers hier voorbijkomen; altijd ben ik dan in een wijk ver van waar het marathonfeest zich afspeelt. De eerste jaren alleen, en later vergezeld door Olympia.

Ik ben mijn wreedheidswinkelen timide begonnen, waarbij lange tijd bloemenzaken het moesten ontgelden. In de gele gids zoek ik een bloemist in een buitenwijk en bestel enkele dagen voor de marathondag een bruidsboeket. Ik leg alles in mijn perplexiteit als de bestelling met gepaste trots wordt aangereikt. Ik schreeuw dat zo'n fout ongehoord kwetsend is in het geval iemand een grafkrans heeft besteld. Tierend verlaat ik de winkel.

Later volgen de projecten die een ruim dagdeel vergen. Ik bezoek speciaalzaken voor hoogwaardige audioapparatuur met luisterruimtes en neem eigen cd's mee. Als ik gezwicht ben voor het topmerk toon ik de plattegrond van mijn huis. Alle kamers moeten voorzien van speakers die per etage worden aangesloten op afzonderlijke installaties. Of een badkamerspecialist waar ik sauna- en stoomcabines bestel voor mijn gigantische huis. Voor in de tuin aarzel ik nog tussen een zwembad met of zonder jacuzzi. De sportieve, in joggingkleding gestoken verkoper met blosjes van opwinding is gek op vruchtensapjes. Als hij weer eens naar achteren gaat om ons bij te schenken, zeg ik dat het na zo veel gezondheid tijd is om buiten een sigaretje te roken.

Olympia weet in het begin niet wat te denken van het perfectionisme waarmee ik dit winkelen volgens de beginselen der wreedheid bedrijf. Ik besluit haar mijn levensverhaal te vertellen, heb het ineens over gedachtes die opduiken als glanzende otters en die ik altijd behendig heb weten te ontwijken. Kun je eigenlijk wel geslaagd zijn in het leven zonder ergens toe te behoren? Wie ben je als je niets hebt waaraan je je loyaliteit als een mes kunt slijpen? Volgens Olympia ben ik de wereld nu pas aan het afranselen, iets waarmee ik al veel eerder had moeten beginnen.

Ik zie Olympia voor het eerst op een maandag in het park Place du Maréchal Juin. Een dag eerder hebben hier duizenden lopers rondom het park gerend, moed puttend uit het feit het halvemarathonpunt in de rug te voelen. De stad lijkt zich op eigenzinnige wijze van het spektakel te hebben afgewend. In de maandagochtenddrukte doen alleen een paar dranghekken nog aan de marathon herinneren.

Olympia komt naast mij zitten op het bankje vlak bij de buste van de schilder A. Besnard. Als bij toverslag komt er vanachter de rozenperken en uit de struiken een voddenparade op ons af. Ik wist niet dat dit park zo veel haveloosheid kan herbergen. Een enkeling trekt een boodschappenkarretje achter zich aan of duwt een kinderwagen voort die is afgeladen met karton en plasticzakken. Ik hoor dat zij haar Olympia noemen bij het bedanken voor wat zij hen toestopt.

Olympia vertelt dat de daklozen zojuist zijn teruggekeerd naar het park dat door het omringende verkeer wordt geïsoleerd van de rest van de wereld. Vorige week maakten zij zich uit de voeten omdat een schoonmaakactie dreigde. Het gemeentebestuur wilde dat het halvemarathonpunt pico bello in orde zou zijn.

Olympia's donkere periode ligt al lang achter haar, maar toch komt zij hier regelmatig terug. In deze enclave is Olympia ooit zelf met twee koffers gestrand om te worden opgenomen door de straatnomaden die er het hele jaar verblijven. In de winter op de warme luchtroosters van de metro, in de zomer in de bescherming van bomen die schaduwen op het gras.

Binnen de omcirkeling van verkeer, appartementen en buffetten, is Olympia hermetisch afgesloten van alles, en leeft zij het gehele jaar in een winters park. Soms glijdt zij van de ene in de andere verbeelding en voelt zij Algerijnse zon op haar huid branden. Totdat zij rillend wakker wordt en zich afvraagt hoelang zij op het gras in de natte sneeuw heeft gelegen.

De schoonmaker van brasserie Royal Pereire ziet haar lijden. 's Morgens vroeg tapt hij een glas bier dat zij gulzig drinkt zoals anderen hun jus d'orange. In ruil wil hij eenmaal per week door haar gepijpt worden, altijd op woensdag. Zij moet haar hoofd door het doorgeefluik steken, terwijl hijzelf aan de keukenkant op een stoel gaat staan.

Olympia is geboren in het jaar waarin talloze Algerijnse ouders hun dochter Olympia hebben genoemd. Het is het jaar waarin Algerije uitzinnig feestviert omdat Alain Mimoun olympisch goud wint. Na het in 1948 en 1952 op de lange afstanden telkens tegen Emil Zátopek te hebben moeten afleggen, grijpt Mimoun in 1956 eindelijk zijn kans. In de bloedhitte van Melbourne loopt hij in de marathon zijn Tsjechische rivaal aan gort.

Het is een gewoonte geworden om Olympia, als ik in november voor de slecht-weer-marathon in Parijs ben, uit te nodigen op de vooravond van de marathondag. Terwijl ik met religieuze nauwgezetheid de Rapido's vervaardig, vertelt zij iedere keer haar levensverhaal vanaf haar geboorte tot het moment waarop wij elkaar hebben ontmoet en zij mij is gaan vergezellen bij het wreedheidswinkelen.

'Mijn leven begint als een sprookje omdat ik word geboren op de dag dat Mimoun olympisch goud wint. En ook Mimoun is die dag vader van een dochter geworden. Zij wordt Olympia genoemd, logisch dus dat als je *Olympia!* roept, alle Algerijnse vrouwen van mijn leeftijd opkijken.'

'Maar Mimoun kwam uit voor Frankrijk.'

'Mimoun was een Algerijn, en zijn overwinning was een Algerijnse overwinning.'

In 1969 verhuist Olympia's moeder met de kinderen naar Parijs. De vlucht – dat is een beter woord – verloopt in twee etappes.

'Mijn vader wordt overspelig. Radeloos smeekt mijn moeder hem om consideratie te hebben. Met haar en vooral met de kinderen, en haar minder openlijk te bedriegen. 's Nachts horen wij haar huilen.'

Haar moeder besluit met de kinderen naar Algiers te gaan waar vader hen maandelijks bezoekt.

'Ik heb mijn moeder nooit gevraagd of zij Algiers vanaf het begin heeft gezien als tussenstation op weg naar Parijs. In ieder geval nemen we definitief de benen als Samira, mijn oudere zusje, onmiskenbare tekenen van volwassenheid begint te krijgen. Mijn moeder schrikt ervan hoe vader Samira steeds nieuwsgieriger met zijn ogen aftast. Zij is bang dat, als mijn vader onverwachts opduikt, zij niet in de buurt is om Samira te beschermen.'

Parijs is een paradijs voor het gezin, ook al worden ze weggestopt in een flat in een buitenwijk. Ze kunnen het zich haast niet voorstellen: een huis met ononderbroken leveranties van koud en warm stromend water, centrale verwarming, televisie en voor iedereen een eigen kamer. Op dit moment van het verhaal houdt Olympia altijd even in, en is het alsof het paradijselijke Parijs uit haar jeugd haar weer in de greep heeft.

'En dan breken de zomermaanden aan. Moeder zegt dat alle Parijzenaars in augustus met vakantie gaan, en dat voor ons niet minder geldt. Naar Rome!' De weken voorafgaand aan het vertrek dwingt moeder hen allemaal iets voor te bereiden. Tussen hen verdeelt zij boeken uit de bibliotheek over Rome met informatie over de Sint Pieter, de Sixtijnse Kapel, de Boog van Constantijn en de Spaanse Trappen.

De avond voor vertrek zet moeder schrikbarend weinig klaar: in plaats van koffers enkel handbagage met proviand voor niet meer dan een dag. Later realiseren de kinderen zich dat niemand met moeder naar een reisbureau is geweest om tickets en reserveringen te boeken.

In plaats van bij Gare de Lyon stappen zij bij de Arc de Triomphe uit de metro. Ze gaan naar boven en moeder neemt hen mee naar een bank op het plein met uitzicht op het monument. De kinderen blijven wonderwel rustig, denken aan een grap en dat alles nog goed komt.

'Dit is Rome, zegt mijn moeder kalm. We kijken beduusd om ons heen, vooral ook omdat we ons schamen voor de onzin die deze Algerijnse vrouw, onze moeder, uitkraamt. Als duidelijk is dat mijn moeder voorlopig niet van plan is in beweging te komen, kan mijn broertje zich niet meer bedwingen en begint te huilen. Dagenlang was hij gespannen door het vooruitzicht van de treinreis. Jullie zien Rome, zegt ze weer. En dan begint Samira te krijsen dat ze toch echt alleen maar de Arc de Triomphe ziet. Rome! herhaalt mijn moeder in hypnotische vastbeslotenheid.'

Met een stortvloed aan woorden begint Olympia's moeder te vertellen over Rome, en dat wat zij zien het Colosseum is en beslist niet de Arc de Triomphe. Dat de mensen om hen heen geen Frans maar Italiaans spreken. Zij vraagt haar kinderen zich open te stellen voor deze suggesties en de wereld om hen heen eens anders te zien. Dat dit de enige manier voor hen is om op vakantie in Rome te zijn, en dat als zij daarin slagen, deze vakantie onvergetelijk wordt en zij bovendien een vaardigheid voor het leven zullen leren.

'Om beurten vertellen we over wat we hebben voorbereid. Het Sint-Pietersplein, de Sixtijnse Kapel en het Pantheon. Als we over de Champs-Élysées lopen is dat het Forum Romanum, en bij het paleis van de president zien we Italiaanse in plaats van Franse machthebbers naar binnen gaan. De Seine is de Tiber geworden, en de heuvel waarop de Sacre Coeur staat, wordt een van de zeven Romeinse heuvelen. Geloof me, die vakantie waren we in Rome.'

Het is op deze wijze dat Olympia het park Place du Maréchal

Juin leert kennen. Volgens haar moeder is New York vooral in december een sprookjesachtige stad. 'We worden bedolven onder boeken over New York. Moeder overhoort ons, maar we weten inmiddels wat ervan ons wordt verwacht. Ik moet het Vrijheidsbeeld voorbereiden, maar ontdek in een gids ook Central Park.' De Tuilerieën vindt zij te tuttig als Central Park. Zij vergelijkt foto's en plattegronden en vindt dat het park in de cirkel van Place du Maréchal Juin sprekend lijkt op de plantsoenen in Central Park. Zo maakt Olympia voor het eerst kennis met tussen struikgewas opgetrokken provisorische tenten en zwervers die zich boven luchtroosters warm slaan. Op onnavolgbare wijze introduceert zij haar moeder, zusje en broertje in dit deel van New York. Van de chique appartementen van het zeventiende arrondissement maakt zij statige huizen aan de oost- en westzijde van Central Park; koeltjes stipt zij aan dat New York niet onder alle omstandigheden even zaligmakend is.

De laatste keer dat Olympia mij tijdens het wreedheidswinkelen vergezelt, is op een kille novemberzondag. Het is een dag die de bijnaam van de najaarsmarathon van Parijs eer aandoet. We verlaten Hotel Ampère in de ochtend en vragen de taxichauffeur ons af te zetten in een buitenwijk met meubelboulevards. Als de lopers Hotel Ampère passeren en om Place du Maréchal Juin lussen, lopen Olympia en ik langs troosteloze meubelwinkels en badkamerspeciaalzaken. We verkennen een aantal winkels en zijn het snel eens over de keukenspeciaalzaak die met schreeuwerige reclames superzondag aanprijst. De volgende stap is om uit het hypergemotiveerde personeel onze verkoper van de dag te selecteren. Het is geen gemakkelijke opgave om achter de maskers van behulpzame vriendelijkheid de meest hebberige en meedogenloze verkoper te herkennen. En zelfs daarna moeten we geduld betrachten tot Lionel ('Lionel Mardegan' staat er op het naamkaartje dat de vorm van een fornuisje heeft) beschikbaar is. Het geeft ons de gelegenheid een studie van zijn repertoire te maken als hij twee onzekere oudjes helpt. Hij peilt feilloos het oogcontact tussen de twee en voelt goed aan tot hoever hij kan gaan bij het oprekken van hun wensenpakket. De man en de vrouw maken zich zorgen om de keukeninstallateurs die zij enkele dagen in hun huis moeten velen. Voorzichtig informeren zij of er gewerkt wordt met eigen personeel. Lionel legt uit dat alleen in zee wordt gegaan met technici die beschikken over eersteklaspapieren.

'Maar staan zij bij u op de loonlijst?'

'Zij staan op afstand, maar toch zijn het maximaal aanstuurbare vakmensen,' zegt Lionel zonder op te kijken van de opdrachtbonnen die hij aan het aftekenen is. 'Bij het minste of geringste zetten we ze definitief op afstand, en dat weten ze. Ik zal zorgen dat ons topteam naar u toekomt. Dat wordt een feest, geloof me.'

Enigszins verlegen vraagt Olympia aan mijnheer Mardegan of het mogelijk is om een keukenblad en een vaatwasser te installeren in ons weekendhuisje even buiten Parijs. Lionel doet of hij niets hoort en kijkt langs ons heen naar de vele andere klanten. Ongetwijfeld hebben die meer in petto en zonder dat dit noopt tot een tocht van wie weet hoeveel kilometers buiten Parijs.

'Wij willen onze keuken thuis volledig laten renoveren,' zegt Olympia dan. 'Maar alleen door een zaak die ook bereid is om naar Mon Idée te gaan.' Pas nu begint het keukenverkopersleven in Lionel terug te keren en biedt hij ons koffie aan.

Ik leg uit dat de keuken in ons appartement aan de Avenue Niel een oppervlakte heeft van zo'n zestig vierkante meter. 'Alles gaat eruit en wat er weer inkomt, moet de volgende twintig jaar bestand zijn tegen overactieve kleinkinderen.'

Wij nemen plaats achter een computerscherm, ieder aan een kant van Lionel. De hele middag investeren wij in Lionel en laten ons gedwee meevoeren naar steeds luxere keukeninrichtingen die Lionel met een klik op de muis laat verschijnen. We eindigen met weggewerkte Amerikaanse koel- en vrieskasten, een volledig ingericht keukeneiland met verzonken keramische kookplaten, klimaatkasten voor wijn en een nieuw plafond met weggewerkte spotjes. Op de vloer komt getrommeld Italiaans marmer dat halfjaarlijks een coatingbehandeling dient te ondergaan. De twee microfibische afzuigkappen zijn ook volgens Lionel niet goedkoop, maar wel de langverwachte revolutie in de wereld van afzuigkappen en de concurrentie jaren vooruit. 'Ze pakken de fijne deeltjes aan die bij bakken en grillen vrijkomen, iets wat pas sinds kort bekend is. Het is een zegen voor je gezondheid en je mag hopen dat zoiets voor iedereen binnenkort bereikbaar wordt,' merkt Lionel vroom op.

Onze laatste wens is om alles over te spuiten in mintgroen, onze lievelingskleur. Lionel is gaandeweg gestopt met het noemen van afzonderlijke prijzen, maar ik zie dat de teller in het beeldscherm is opgelopen tot ruim 250.000 euro. Dit is exclusief het verlagen van het plafond en het overspuiten in mintgroen, daar wil Lionel een afzonderlijk prijsje voor afspreken.

'Ik loop even naar de auto om de plattegrond van ons vakantiehuisje te halen.' In onze exitstrategie heb ik de smaak van keukens te pakken, en kan het keukentje voor in Mon Idée er ook nog wel bij.

'Kunnen we dit niet de volgende keer doen?' Het is iets waar Olympia beslist moeite mee lijkt te hebben, en ze vraagt Lionel waar zij haar handen kan wassen.

'Dit wordt de keuken van het jaar,' roept Lionel mij na als ik door de vrijwel lege zaak naar de uitgang loop.

'Vind je niet dat je de wereld nu lang genoeg hebt gestraft?' zegt Olympia als zij mij tien minuten later op de boulevard heeft teruggevonden.

Olympia ontmoet op haar vijfentwintigste Cedric.

Bent u professioneel ingesteld en wenst u deel uit te maken van een dynamische ploeg? luidt de advertentie waarop zij reageert. Er staat geen werkgever bij, wel de naam van een selectiebureau. Het blijkt om een vacature bij Hermès te gaan, en Olympia is trots dat zij wordt aangenomen voor het filiaal aan de Place Vendôme.

'Alles wat u hier ziet, is met de hand gemaakt,' is de zin die zij het liefst uitspreekt. Dat is ook het eerste wat zij tegen Cedric zegt. Zij ziet hem voorzichtig over een uitgevouwen sjaal strijken. Cedric is iets kleiner dan zij, is gespierd en heeft het borstelige haar van een worstelaar.

'Daarmee zult u uw vriendin echt een plezier doen,' zegt Olympia terwijl zij de ingepakte sjaal aan Cedric overhandigt. 's Avonds staat hij aan de overkant van de winkel en vraagt haar mee uit eten. Aan het einde van de avond biedt hij haar wat onhandig het cadeau aan dat zij eerder die dag zelf heeft ingepakt.

Cedric is elektricien, en hij heeft er een hang naar om alles in voldoende mate te hebben. Bij minder dan drie rollen in het toilet wordt hij overvallen door paniek die snel omslaat in razernij. Op hun etage legt hij een overdaad aan stopcontacten aan, op de een of andere manier betekent dit voor hem weldaad. Olympia begint te dromen over stopcontacten met openingen zo groot dat je je vingertoppen erin kunt steken. Als zij met bonkend hart wakker wordt is zij in de war, en stilletjes glijdt zij uit bed om de stopcontacten aan een inspectie te onderwerpen.

Tijdens een personeelsetentje waarvoor ook de partners zijn uitgenodigd, zitten zij in een bistro dicht op elkaar. Je ontkomt er niet aan dat je af en toe je buurman aanstoot. 'Sorry,' zegt Olympia en ze legt even verontschuldigend haar hand op de arm van de man van een collegaatje. Zij vindt Cedric stilletjes, en merkt dat hij nauwelijks moeite doet een gesprek aan te knopen.

Als zij nogmaals met haar elleboog tegen haar buurman stoot en zich hiervoor excuseert, springt Cedric op en sleept haar de zaak uit.

Thuis pakt hij haar beet en schudt haar door elkaar. 'Waarom ben je altijd zo minzaam,' schreeuwt hij, 'hoe vaak heb ik je niet gezegd dat die kleinmakerij mij irriteert.' Het gaat hem er niet om dat zij de man naast haar heeft aangeraakt door koket haar hand op zijn arm te leggen. Cedric neemt het haar kwalijk dat zij zich verontschuldigt.

Plotseling begrijpt Olympia wat Cedric mankeert en dat hij er zelf niets aan kan doen. Zij heeft medelijden met hem, en het laatste wat zij wil is het hem kwalijk nemen dat hij haar avondje heeft verknald.

'Cedric, heb je je weleens op suiker laten controleren?' Dat hij zichzelf niet in de hand heeft, kan niet anders dan door een steeds wisselende bloedsuikerspiegel komen. Zij heeft in een tijdschrift gelezen over het onvoorspelbare gedrag dat daarvan het gevolg is. Dit inzicht geeft haar troost omdat het een euvel is dat kan worden aangepakt.

Cedric vat het op als een belediging. Pas in het ziekenhuis komt Olympia bij; zij heeft een gebroken neus en een branderig gevoel in haar kruis. Naarmate Cedrics vrijlating nadert, krijgt zij vaker paniekaanvallen. Haar huisarts vertelt glimlachend dat haar alarm te scherp staat afgesteld, en schrijft angstremmers voor.

Als Cedric na een maand voorarrest thuiskomt, geeft hij Olympia precies tien minuten om twee koffers te pakken. In een opwelling zegt zij naar New York te vertrekken maar komt met haar koffers uit bij Place du Maréchal Juin. Zij is verslaafd aan angstremmers, pillen die in combinatie met alcohol het effect hebben haar hermetisch af te sluiten van wat er om haar heen gebeurt.

Eenmaal per jaar wordt zij losgerukt uit haar verbeelding en houdt Place du Maréchal Juin op Central Park te zijn. Dat is in het weekend van de prestigieuze najaarsmarathon in de binnenstad van Parijs. Het stadsbestuur wil geen enkel risico lopen en jaagt de stadsnomaden hun enclave uit.

Na de keukenaanschaf ben ik tegen Olympia gaan praten. Over glimmende otters die steeds langer boven water blijven om mij met hun glanzende teerzwarte ogen aan te staren. Ik praat ook tegen haar als zij er niet is en ik al lang in Lissabon, de volgende marathonstad, ben gearriveerd. Soms wil ik de antwoorden toetsen die ik haar hoor zeggen, en bel ik haar in Parijs.

Voor haar is het zonneklaar; ik moet dinsdag 14 juli 1942 maar eens goed tot mij laten doordringen. In de keuze van die dag ligt volgens haar een aanwijzing besloten. 'Hij was toch een man die nooit zomaar iets deed? Nou, tel die dagen dan na.'

Simon Hanauer was inderdaad niet iemand die zomaar iets deed, maar ik hou het op puur toeval dat mijn ouders op de 195ste dag van het jaar 1942 zijn verdwenen. Toch ben ik teruggekeerd naar Parijs om in training te gaan. Volgens Raymond, ben ik met mijn vijfenzestig jaar geen uitzondering. Hij heeft nog veel oudere knarren onder zijn hoede die denken zo nodig de marathon te moeten lopen.

Met mijn training lig ik op schema, maar ik weet dat ik ruim voor de finish zal stilvallen. Ik ga dan over op de motoriek waarmee mijn vader moet hebben gelopen en ik zal mij verbeelden dat hij mij ziet: het is mijn saluut voor Rapido.

Johanna Spaey en Jac. Toes

De laatste sprint

Australië, mei 1915

'Wat zijn je benen?
Springveren. Stalen springveren.
Wat zullen ze doen?
Ze zullen me over de baan doen snellen.
Hoe snel kun je lopen?
Zo snel als een jachtluipaard!
Hoe snel zul je lopen?
Zo snel als een jachtluipaard!
Laat het maar zien dan!'

Dit is de mantra van de onschuldig ogende en piepjonge Archy (vertolkt door een aanbiddelijke, goudblonde Mark Lee) in de film *Gallipoli* (1981) van regisseur Peter Weir. En rennen doet Archy, onder leiding van zijn oom die in hem een nieuwe kampioen ziet. Archy is ook dik bevriend met een Aboriginal jongen, want lopen is iets wat ze samen delen, ondanks het duidelijke racisme van de hen omringende blanke boerenwereld. Archy mag dan een topatleet in wording zijn, Les, een van de ruwe cowboys met wie hij samenwerkt, vindt het maar niks. 'Meisjes lopen hard,' spuwt hij Archy toe. 'Echte mannen boksen.' Dus gaat Archy de uitdaging aan om blootsvoets tegen Les op z'n paard te rennen. Acht lange kilometers door de ruige *outback*, die Archy op kapot gelopen voeten wint. Archy Hamilton zou gebaseerd zijn op een vermelding in C.E.W. Beans *Official History of Australia in the War of 1914-1918*, waarin deze journalist soldaat Wilfred Harper tijdens 'The Battle of the Nek' beschrijft: 'Wilfred werd het laatst gezien terwijl hij als een schooljongen in een loopwedstrijd vooruit stormde, zo snel als hij maar kon.'

'Jij kunt je meten met Lasalles, jij bent groter dan Lasalles,' zegt Archy's oom, want Harry Lasalles, de grote kampioen op de mijl, is hun gezamenlijke god. Maar de afgod van de oorlog die in Europa woedt en *Poor Little Belgium* zo brutaal heeft verkracht, maakt steeds meer indruk op Archy. Er is meer dan lopen, denktie. Nadat Archy in een wedstrijd nipt van Frank (Mel Gibson in de tijd dat hij nog geen scheldende fundamentalist met een zichtbaar drankprobleem was) wint, besluiten ze samen naar de oorlog te vertrekken. De jongste uit idealisme, de oudere omdat hij niet veel anders te doen heeft en de bijbehorende soldij best kan gebruiken. Beiden even naïef.

Gallipoli, een rauwe en schitterende film over twee jonge Australische atleten, die na hun opleiding in Egypte de gruwelen meemaken van de slag bij het Turkse Gallipoli, gaat over lopen en oorlog. Lopen zoals in hardlopen en lopen zoals in niet kunnen weglopen. Soms omwille van vrij letterlijke redenen: in de Eerste Wereldoorlog zorgde het gebruikte wapentuig voor ontzettend veel amputaties. De nachtmerrie van loopbenen voorgoed afgerukt en opgeblazen.

Lopen houdt Frank in leven, want hij fungeert achter de loopgraven als de vliegende boodschapper. Lopen wordt uiteindelijk Archy's dood wanneer hij na het aanvalsignaal als een razende engel de loopgraaf uit klimt en onder het mompelen van zijn eeuwige mantra ('Wat zijn je benen? Springveren. Stalen springveren...') zijn toptijd verbetert. Voor even dan. Dat Archy in zijn laatste sprint wordt neergemaaid door een Turks machinegeweer, is het onvermijdelijke en bittere einde.

In oorlogen kun je zo hard rennen als je wilt, de dood is meestal sneller. De jonge, gouden lijven van atleten die denken dat ze alles aankunnen, staan in schril contrast met de onverbiddelijkheid en verminkende kracht van de oorlog die maar al te graag dat verse vlees in z'n grote, alles verslindende muil stopt. Het had misschien anders gekund, maar hoe?

Van Adolf Hitler zijn nooit tijden opgemeten toen hij in 'de Groote Oorlog' als ordonnans en koerier door de Vlaamse Westhoek snelde. Dat hij snel of op z'n minst slechts matig bevreesd was, is een feit. Hij kreeg niet voor niets tweemaal een IJzeren Kruis in de Eerste Wereldoorlog. Dat hij zich tussendoor als een paranoïde puritein niet erg bemind maakte bij z'n lotgenoten in de loopgraven, verklaart misschien ook waarom hij nooit de verwachte bevordering kreeg. De vraag of de wereld er anders had uitgezien als Hitler zijn gevaarlijke sprintjes niet had overleefd, blijft eeuwig kauwvoer voor historici.

Goede lopers waren erg gewild in de Eerste Wereldoorlog. In een tijd waarin gemotoriseerd vervoer schaars of schier onmogelijk was op het vaak erg krappe slagveld, en goed functionerende telefoonlijnen nog niet de vrije telefoniemarkt moesten behagen, was een boodschapper op een paar snelle benen een zeldzaam goed.

Misschien had de Ierse-Canadees James (Jimmy) Duffy dat laatste extra in de verf kunnen zetten, ware het niet dat die Duitse machinegeweren hem na zijn aankomst in Vlaanderen zo verraderlijk snel waren af geweest.

Jimmy Duffy was het soort fuifbeest waaraan de huidige flierefluiters onder de atleten (hoogspringers, hamerslingeraars, wie biedt meer?) nog een voorbeeld kunnen nemen. Nadat hij de superspannende marathon van Boston in 1914 had gewonnen, was een sigaret het eerste wat hij aan z'n trainer vroeg. En zo, meldde *The Boston Post* de volgende dag licht geamuseerd – of was het licht bestraffend? – genoot de jonge Ier volop van z'n eerste sigaret sinds twaalf uur die middag. Daarna vroeg Duffy om een biertje.

De eerlijkheid gebiedt wel om te vermelden dat niet alle marathonlopers in die tijd zo'n 'liederlijk' leven leidden. En trainers liepen heus niet met Duffy's gewoontes van veel feesten en weinig trainen weg. Alleen was Jimmy zo charmant en getalenteerd dat niemand echt boos op hem kon worden.

Duffy kwam in 1890 ter wereld in Ierland, verhuisde daarna naar Schotland en emigreerde in 1911 naar Toronto in Canada. Daar ging hij aan de slag als tinsmid en steenbikker, terwijl hij als atleet indruk maakte op de directeur van het YMCA waar hij regelmatig ging trainen. In Schotland had hij wel vaker crosscountrywedstrijden gewonnen, dus lanceerde de directeur hem in de Ward Marathon, de grootste loopwedstrijd in Toronto. Jimmy had kunnen winnen, als hij onderweg niet was blijven stilstaan om ruzie te maken met de supporters van een van z'n rivalen.

De marathon van Boston won hij wel, met vijftien seconden voorsprong op z'n rivaal in een tijd van 2.25.42. De wereld lag voor hem open. De Olympische Spelen in 1916 lonkten, maar toen brak de Eerste Wereldoorlog uit. Duffy was een van de eersten om zich te melden bij het Canadese leger. Voor hij vertrok, beloofde hij z'n vrienden dat hij eenmaal overzee slechts één richting zou uitlopen: naar Berlijn.

Terwijl op 19 april 1915 in Boston opnieuw de marathon werd gelopen en Duffy's rivaal, die hij vorig jaar nipt had verslagen, zichzelf tot winnaar kroonde, zat Duffy in de loopgraven dicht bij Ieper. Voor trainen had hij weinig tijd. Die verre oorlog in Europa bleek minder naar glorie en meer naar modder en uitputting te smaken. Bij een nachtelijke tegenaanval met z'n bataljon op de Duitsers, raakte hij zwaargewond. In wat na afloop slechts kan worden beschreven als een verschrikkelijke slachtpartij met zelfmoordallures, overleefden in Duffy's bataljon van het Canadian Expeditionary Force, dat uit driehonderd soldaten en vijf officieren bestond, slechts 27 mannen die vreselijke nacht. Duffy overleed een paar uur later in een veldhospitaal. Naar Berlijn lopen deed Jimmy niet en zou hij ook nooit meer doen. Zijn graf kun je nog steeds bezoeken in Vlamertinge.

Als de soldaten even vrij hadden van het front, waren er natuurlijk de gewone geneugten waarmee een man zich ontspant. Dat ook sporten daarbij hoorde, mag niet zo vreemd lijken. Van beroepssoldaten mag je al aannemen dat ze sportief zijn, ook de vrijwilligers waren zeker in het begin van de oorlog jong, gezond en energiek. Een partijtje voetbal kon iedereen wel bekoren, maar achter de linies werden ook atletiekwedstrijden georganiseerd. In Engeland namen complete sportteams samen dienst (en sneuvelden samen), wat jarenlang dramatische gevolgen had voor de Engelse voetbal- en rugbycompetitie. Sportwedstrijden achter het front waren ook goed voor het moreel van de soldaten. Bataljons gingen de strijd met elkaar aan en atleten konden hun drang om te winnen acuut bevredigen, iets wat in die eindeloze stellingenoorlog zelden het geval was. Dat sporten psychologische voordelen heeft, zal misschien een mindere rol hebben gespeeld dan nu, maar je hoeft iets niet te kunnen benoemen om het effect te kennen.

In het archief van het In Flanders Fields Museum in Ieper zijn fantastische en ontroerende foto's te vinden (omdat je als kijker de achtergrond en het vervolg kent) van een atletiekwedstrijd die door de Canadezen achter het front werd georganiseerd. De atleten traden aan in een bizarre mix van bij elkaar geraapte outfits. In deze gestroomlijnde en ademende Nike- en Adidas-tijden een feest voor het oog! Iedereen droeg wat hij op dat ogenblik bij de hand had: van rugby- of voetbaltruitje tot uniformhemd. De een liep schijnbaar in z'n lange onderbroek, de ander droeg shorts. De een hield z'n uniformpet op, de ander sportte blootshoofds. Sommigen droegen kousen, anderen deden het zonder of in een paar sokken. En nee, voorgevormd of met extra steun waren ze niet. Standaarduitrustingen waren in die tijd vast nog iets voor mietjes, denk je dan. De lopers droegen lichte pantoffels of schoenen, ook wel 'rustbottines of rustschoentjes' genoemd. Dat schoeisel was van linnen of canvas gemaakt met een dunne leren zool. In vergelijking met de echte bottines waren dit lichte schoenen die weinig bescherming boden, maar wel makkelijker waren om mee te nemen. Een aangename afwisseling ook met de zware, strak aangesnoerde bottines die met beenstukken werden gedragen. Misschien valt dit met enige verbeelding wel te vergelijken met de *desert boots* die onze huidige gevechtstroepen dragen als ze op missie zijn in warme oorden. De kans op blaren of wrijfwonden was dankzij de rustschoentjes alleszins minder groot.

Terwijl langs de kant hun medesoldaten heftig supporteren, doen de atleten op deze unieke foto's aan hardlopen, verspringen, hoogspringen (oude techniek), crosscountry of survival runs met talrijke hindernissen. Ze springen over beken, kruipen onder touwen en sprinten over open vlaktes. Het aantal scheidsrechters en parcoursbegeleiders is groot. Maak je dus geen illusies: deze mannen en hun publiek namen deze wedstrijden serieus! Er werden tijden genoteerd en mannen die in de fout gingen, werden terechtgewezen.

Op de foto's zie je niet alleen die typische tengere loperslichamen. Ook flink gespierde knapen steken een tandje bij. Dat zijn vast die boksers die denken dat lopen in feite iets voor meisjes is.

Het publiek bij deze wedstrijden was ook erg gevarieerd. Officieren keken van een gepaste afstand toe, terwijl de clerus en de zeldzame vrouwelijke toeschouwers (waarschijnlijk adellijke dames die de verpleging en ambulances achter het front organiseerden of voor liefdadigheid zorgden) een stoel kregen toebedeeld. Een pijp roken en kopjes thee mochten ook wel, al doen de inspanningen vermoeden dat een frisse Belgische pint of trappist na afloop meer zal worden gewaardeerd.

Deze foto's zijn bijna lieflijk en heel ontroerend omdat ze –

meer nog dan de afbeeldingen van dood en verwoesting – de kijker achterlaten met een verstikkend en hulpeloos gevoel. Hoe velen van de mannen op deze foto's hebben de oorlog overleefd? En als ze dat al is gelukt, kwamen ze er dan zonder verminkingen of trauma's uit? De kans is klein. Lopen kan een troost zijn, zelfs een therapie, maar de gruwel van de Eerste Wereldoorlog was zo groot dat de langste afstand waarschijnlijk niet voldoende was om hen weer als voorheen te maken. Of was lopen toch de ultieme troost?

Na de Eerste Wereldoorlog riep Vic Clapham, een Zuid-Afrikaanse oorlogsveteraan, ter ere van zijn vele gesneuvelde kameraden in de Groote Oorlog de Comrades Marathon in het leven. Op 24 mei 1921 begonnen 34 lopers voor het eerst aan deze ultramarathon. Hij wordt nog steeds gelopen. Aan de veel recentere In Flanders Fields Marathon nemen vaak (achter)kleinkinderen van gesneuvelde soldaten deel. En misschien draait het daar allemaal om: door te lopen houd je hen in leven en worden ze meer dan de zoveelste witte of grijze grafzerk op de eindeloze kerkhoven in de Westhoek en Noord-Frankrijk. Want wat zijn onze benen? Springveren. Stalen springveren…

Referenties: Met dank aan het archief van het In Flanders Fields Museum, Ieper, voor de erg waardevolle hulp en de zoektocht naar onze lopende soldaten. Gallipoli, *een film van Peter Weir, Paramount Pictures.* Boston: the Canadian Story *van David Blaike. Groepen kunnen bij vzw De Boot een fiets- of looptocht boeken waarbij ze het leven van James Duffy en andere gesneuvelde atleten (voetballers, Tour de France-winnaars, olympische atleten) al sportend kunnen herbeleven (surf naar: www.deboot.be).*

Dolf Jansen

Wunderbar

Bij elk moment dat je onthoudt hoort een liedje. Je zag haar (hem) voor het eerst toen dat liedje werd gedraaid. Je was op reis en draaide elke dag dat liedje, omdat het je aan thuis deed denken. Bij zijn begrafenis draaiden we dat liedje, omdat hij dat zo mooi vond, omdat het iets van ons verdriet verwoordde. Ik was in een boekwinkel ergens aan de Ierse westkust toen ik voor het eerst David Gray hoorde. Tijdens een reis door de VS en Canada, zomer 2006, draaiden we de hartverscheurend mooie nieuwe plaat van Snow Patrol. Toen ik 'Hoor hoor' van Herman en Ik voor haar draaide, was het wel duidelijk dat dit niet voor even zou zijn, maar voor altijd. De wereld is van eigenaar veranderd en niemand die het weet, lief, behalve wij. Dat soort momenten, dat soort herinneringen en liedjes.

En dan is er nog 'Wunderbar!' – een Engelstalig nummer overigens, van een band die verder in het grote geheel der popmuziek ook niet echt van belang is: Tenpole Tudor. *New Romantics* heette de kortstondige stroming waarvan ze deel uitmaakten, mannen in kilts, make-up soms, synthesizers vooral, *much ado about nothing* zou een liedjesschrijver van weleer erover gezegd kunnen hebben – een liedje dat hoort bij een weekend, een liedje dat we hard zongen als we buiten de jeugdherberg waar we verbleven door het gras struinden, dromend van wilde dansavonden en wellicht zoenen met dat ene leuke meisje met die stralende ogen, die ene jongen die wat stil was maar zulke grappige dingen zei, soms. Een trainingsweekend ongetwijfeld, want voor gezellige weekendjes weg was ik toen al nooit zo in. Ik ben niet zo gezellig, ik hoef niet zo nodig weg, maar trainen, drie dagen hardlopen…

graag! Waar gaan we heen, wie heeft er een auto, hoe laat gaan we, wat voor weer wordt het?

Zo ging het ongeveer, toen ik nog twee keer per week bij een atletiekclub rondliep. Iemand stelde voor weer eens op trainingsweekend te gaan en het enthousiasme was groot. Altijd. Wellicht dacht de een vooral aan pastamaaltijden, biertjes en een beetje in de zon zitten. Dacht de ander aan de bijkans ongekende mogelijkheden van drie dagen (twee nachten!) zonder enige supervisie intergeslachtelijk slaapverblijven. Dacht weer een ander aan even een paar dagen zonder vrouw en kinderen. Was ik de enige die dacht: aah, lekker, drie dagen, vier trainingen, afzien, sterker worden, heel blijven, topmarathon…! Waarbij ik moet toegeven dat bijna al mijn gedachtestromen in die jaren eindigden bij die laatste zes woorden, in de een of andere volgorde. Ik stond op de club bekend als een soort trainingsbeest, altijd in voor een beetje meer, een beetje extra, een stukkie harder. Veel 'trainingsbeesten' weten die omvang en kwaliteit van training op het moment waarom het gaat – de wedstrijd – om te zetten in grote prestaties. Voor mij gold dat jarenlang wat minder, ik trainde hard, te hard wellicht, maar als er een drie kilometer gelopen diende te worden, voor de club, deed ik mijn uiterste best maar leek het uiteindelijk vaak nergens op. Ik kreeg een klap in de tweede kilometer en ging aansluitend, elke keer weer eigenlijk, heel erg kapot in de derde. Typische tussentijden: 3.03; 3.19; 3.34. Dat is geen goed opgebouwde race, dat is allesbehalve een *negative split*, dat is heel erg kapotgaan voor een tijd net onder de tien minuten. Tuurlijk, het leverde punten op, voor de club, maar erg overtuigend was het allemaal niet. Ik denk, achteraf, dat ik jarenlang, zo van mijn zeventiende tot mijn eenentwintigste, overtraind was. En dan kun je beesten wat je wilt op de training, er komt geen enkele prestatie van formaat uit. In de jaren erna ben ik zeker zo hard blijven trainen – en nog steeds weleens – maar toen kon ik het aan, en ging ik dus ook veel harder lopen op die momenten dat het erom ging.

Het was maart 1985, ik was eenentwintig, mijn lichaam begon 'aan te kunnen' wat ik al jaren deed, studeerde rechten, was dus altijd uitgerust genoeg om hard te trainen en vond dat ik een nog betere marathon in de benen en het lijf moest hebben dan de 2.31 die ik in februari in Apeldoorn had gelopen. Ofwel, een trainingsweekend in Beekbergen leek ideaal.

Want die 2.31, daar dacht ik nu dus alweer onder te kunnen duiken, qua eindtijd... oooh, de overmoed van de jeugd! Paar weken hersteld en nu al voelde ik me sterk genoeg om te beginnen aan de opbouw die in de zomer tot een paar fijne baanwedstrijden moest gaan leiden en als alles helemaal meezat in het najaar tot een volgende marathon. Goed, Beekbergen, geen idee meer waar dat idee, die plek vandaan kwam, wellicht had een van ons er ooit een fijne familievakantie doorgebracht, of was er een aanbieding met goedkope huisjes voor groepen. We zouden op vrijdagmiddag die kant op gaan, ieder voor zich of samen in de auto, elkaar in elk geval voor etenstijd treffen. En ik realiseer me nu, al schrijvend, dat al die trainingsweekenden die we in die jaren hebben doorgemaakt in mijn herinnering een geheel zijn geworden. Ik weet niet meer precies wat we deden in Beekbergen, in Voorthuizen, op Texel, bij Schoorl, in Zuid-Limburg. Omdat de plekken op elkaar leken, wat huisjes op zandgrond, met heel veel bos en optionele heuvels (duinen) in de buurt, meer bomen en beduidend minder asfalt dan we thuis gewend waren. Ideale plekken dus, om met een man of vijftien van beiderlei geslacht een dag of drie door te brengen. Om te trainen! Vooral.

Ik zorgde altijd dat ik op vrijdagmiddag met de vroegste auto mee mocht, dat scheelde me toch een traininkje in een mooie omgeving. Daar ging ik, vier uur 's middags, beetje zon, bij de huisjes vandaan, stukje asfaltweg, onder de snelweg door en daar begon het bos al. En dan heb ik het echt over een *bos*, althans, op de kaart had ik gezien dat het tot Apeldoorn en Arnhem en bijna Zwolle doorliep. Het was dus van groot belang een beetje in de gaten te houden waar ik heen liep en hoe ik dacht terug te lopen. Ik wist dat we op zaterdag met zijn allen twee keer zouden trainen – dat geeft pas echt het gevoel van serieus met hardlopen bezig zijn, twee keer trainen op een dag – en op zondag een lange duurloop zouden ondernemen met degenen voor wie dat nuttig en haalbaar was, dus voor deze aanloopdag leek een duurloopje van een kilometer of zestien, zeventien me passend. Ik vond al snel zo'n min of meer doorgaande zandweg met een wat verharder fietspad ernaast. Het is zo mooi, vind ik, dat je als loper zo enthousiast kunt worden, zo blij ook, van het aantreffen van een mooie route, een mooi pad, een goed loopgebied. Ik kijk, sinds ik loop, natuurlijk erg goed om me heen als we een plek naderen waar we gaan verblijven, of waar ik moet werken, of op bezoek gaan zelfs. Maar ik doe automatisch hetzelfde als ik door een gebied rijd waar ik op dat moment alleen maar doorheen moet of mag. De trein, waarin ik vele uren doorbreng, is daarvoor ideaal: je spoedt je in de lange gele slang door weidegebieden, door bossen, langs de 'achterkant' van huizen en straten en zomeer. Ik kan soms kilometerslang een pad volgen, met mijn ogen, kijken hoe begaanbaar het is, of er nog hekken staan, waar het uitkomt, of het ergens uitkomt, of het lekker onverhard blijft… alle details die van belang zijn voor het moment dat ik, ooit, dat pad zal belopen. Geregeld vind ik het, op een mooie lentedag, rijdend door een gebied waar ik nog niet vaak ben geweest, doodzonde dat ik door moet, dat ik ergens word verwacht om iets te doen. Op die momenten zou ik niets liever doen dan de trein laten stoppen, me snel omkleden op een bankje aan de bosrand, mijn tas ergens achterlaten en lopen. Dat bos in, dat pad volgen, teruglopen tot dat meer waar, als ik het goed had gezien vanuit de 120-kilometer-per-uur-trein, een mooi pad helemaal omheen liep. Vanuit de trein kan ik al genieten van hardlopen terwijl ik me nog door mijn grote cappuccino en bruin broodje kaas heen werk.

Over de zandweg, in het Beekbergse (?) bos, kwam heel soms

een boswachtertype langs, of een agrariër die illegaal wat hout was wezen hakken of een van zijn kinderen had afgerost buiten gehoorsafstand van zijn boerderij en daarmee van zijn vrouw en vele andere kinderen. Die ongetwijfeld op een ander moment weer eens aan de beurt zouden komen. Qua afrossen, liefst met een licht-zwiepend stuk berkenhout. Ik spreek nu van de tijd dat kinderrechten nog niet echt tot de provincie waren doorgedrongen, dat zo nu en dan afgerost worden te verkiezen was boven de voortdurende incest van de voorgaande generaties, de tijd ook dat de boswachtertypes en agrariërs de enigen waren die rondreden in zo'n iets te hoge, iets te vierkante automobiel, die trouwens ook is bedoeld om over dit soort wegen te rijden: wat zand, wat modder, wat hobbels, vroemvroem en we zijn weer thuis! Ik spreek van de tijd dat er nog geen commercials waren waarin die wat te grote te vierkante auto's werden aangeprezen als avontuurlijk, stoer, sterk, veilig en mannelijk. Waarna ze ruim verkocht gingen worden aan vele, vele landgenoten die van zichzelf allesbehalve stoer, sterk en avontuurlijk zijn, laat staan mannelijk, waarna ze de wegen gingen vullen en de benzinepompen gingen legen, waarna ze hard gingen meewerken aan allerlei klimaatveranderingen, waarna ze overwegend gebruikt gingen worden om in de file te staan, heel zachtjes over het woonerf naar de voordeur van de doorzon te tuffen en vooral om naar de naburige binnenstad te rijden om daar na een middag van stilstaan, rondkruipen en parkeerdilemma's, te kunnen worden gevuld met de opbrengst van drie uur shoppen. Want zo is onze beschaving voortgeschreden. En mede daarom moeten we wegen blijven aanleggen, veel te vaak ten koste van plekken waar nu nog bos is of open weidegebied, of iets anders dat op het eerste oog geen economisch nut heeft, maar zo godvergeten belangrijk is. Denk ik. Belangrijk om hard doorheen te kunnen lopen, zeker, maar ook te slenteren en te fietsen, om tot rust te kunnen komen, geïnspireerd te raken, gewoon te zitten en in het verre niets te kijken, om met haar (hem) doorheen te wandelen en een beetje over niets te praten en het leuk te hebben samen en dan te beslissen dat dit het moment is om haar (zijn) hand te pakken en dan maar te kijken wat daarna allemaal kan gebeuren, om iets anders om je heen te zien dan alle zaken die we nodig hebben om economisch overeind te blijven: wegen, bedrijvenparken, asfalt, startbanen, hoogbouw met companylogo's, omringd door hectares parkeerplaats.

Dat dacht ik toen allemaal natuurlijk niet, behalve wellicht dat stukje over die agrariër. Boeren en middenstanders brengen al jaren, geheel buiten hun schuld vaak, het slechtste in me boven... Ik zei het boswachtertype vriendelijk gedag, al was het maar omdat ik me niet tevoren had verdiept in eventuele toegangsregelingen, kaartjes dienaangaande, bedragen die daarvoor dienden te worden neergelegd (ik had echt geen cent te makken in die jaren, ik leefde van een studiebeurs, tegen de negenhonderd gulden per maand, aangevuld met zeg veertig gulden per week van een krantenwijk. Ik was, kortom, gek op gratis bos). De groengeklede man in de landrover stak een vinger naar mij op en spoedde zich voort. Hij had rapportage binnengekregen over kindergeschrei op de open plek achter het eikenbos en ging onderzoeken of Vermeulen de varkenshouder van de Bosweg daar weer een van zijn kinderen had vastgebonden. Denk ik. Dacht ik.

Ik voelde me goed, boslucht in mijn neus, vogelgeluiden, een wegschietende eekhoorn, een lange lichtkronkelende weg voor me, half uurtje onderweg, lekker pad ook, mijn kuiten een beetje piepend zoals eigenlijk elk jaar in het voorjaar. (Jaren later leerde ik van mijn fysiotherapeut dat de overgang naar baantrainingen zo'n verschil in tempo en daarmee belasting met zich meebrengt dat het logisch is dat de zwakkere plekken van de loopmachine gaan opspelen. Bij mij, in die jaren, de kuiten. Wat pijn langs het bot, wat stijf onderin, je raakte eraan gewend.) Opeens liep ik onder de bomen vandaan, de schaduw uit, de volle namiddagzon in, een open vlakte voor me. Heide, zo te zien, kilometers en kilometers ver. Ik jogde nog even door, even die paarse gloed binnenlopen, moest eigenlijk terug om niet boven de zeventig minuten uit te komen… wat is het mooi hier, wat schijnt de zon precies warm genoeg, wat kan mijn lichaam de inspanning goed aan, wat ben ik gelukkig. Ja, dat is het, dat was het, een volledig geluksgevoel. De plek, de zon op mijn huid, het hardlopen, de gedachte dat de anderen, mijn vrienden, mijn loopmaatjes, nu zo'n beetje binnendruppelden in het basiskamp, dat ik zo zou gaan omdraaien om terug te lopen, iets te hard ongetwijfeld voor een ontspannen duurloop, maar goed, zo loop ik nou eenmaal, zo voel ik me nou eenmaal. Hier, ergens op de Veluwe, een vrijdagmiddag in maart 1985.

'Hé Dolf, al gelopen?'

'Ja, ik dacht de mietjes zijn er nog niet, dus laat mij de trein maar vast op gang trekken.'

'Hé, Dolluffie, afgetraind is leuk, maar je wangen hoeven elkaar niet aan de binnenkant van je mond te raken, geloof ik.'

'Luister, vriend – en die term gebruik ik in de meest ruime interpretatie die voorhanden is in de Nederlandse taal – ik heb vijf weken geleden een marathon gelopen, dan mag je er zo uitzien. Dacht ik…'

'Goh, heb je een marathon gelopen, waar had je nou weer een te kort parcours uitgezocht?'

'Ja ja, te kort, weet je wat te kort is, jouw l…'

'Jaaaa, genoeg over mij, zullen we 's gaan kijken of de dames al hebben gekookt, of wordt dit weer zo'n nergens-voor-nodig-sociaal-geëmancipeerd-alles-samen-doen-weekend?!'

'Nou, we hebben het erover gehad donderdagavond, en we zijn erop uitgekomen dat jij de huishoudelijke taken voor je rekening neemt, alle huishoudelijke taken. Kunnen wij ondertussen theedrinken en uitrusten van de vorige training. En voor de volgende training gelijk ook meteen maar.'

'Ja, en ik heb vrijdag nog even rondgebeld en we zijn erop uitgekomen dat jij alle trainingen voor je rekening neemt, van ons allemaal, skelet. Kunnen wij gewoon het hele weekend theedrinken en kom jij misschien eindelijk eens in de vorm die je nodig hebt om een officiële nagemeten marathon af te leggen in een tijd waarvan wij schrikken. Dolluf!'

In de keuken en de grote kamer ernaast brachten we zo veel mogelijk tijd door, als er niet werd getraind of gerust. Koken, beetje opruimen, ouwehoeren, thee zetten, theedrinken, nog meer ouwehoeren. En dan had ik nog de mazzel dat er geen kaart- of spelletjesfanaten in onze trainingsgroep zaten. Voor je het weet zit je tot half twee 's nachts te toepen of te roeken of te Risken zelfs, omdat het je maar niet wil lukken Pakistan in te nemen of Antarctica of weet ik veel. Ik ben niet zo van de spelletjes.

Als de trainer van de loopgroep mee was bepaalde hij zo'n beetje wat we gingen doen en wanneer, qua trainen. Anders moest dat op de vrijdagavond min of meer in overleg worden besloten. Dat leverde altijd de situatie op die we ook kennen van de kleedruimte een uurtje voor de wedstrijd of trimloop: de een was half geblesseerd, de ander herstellende van een vervelend virusje, er was er een met kinderen in de huil- en flesleeftijd, dus die kwam eigenlijk alleen maar mee om eens twee nachten ononderbroken te slapen, drie man waren eigenlijk geblesseerd, er was hier wat ongesteldheid en daar wat keelpijn, het was één grote ziekenboeg met heel (heel) toevallig allemaal twee paar loopschoentjes in de tas. Ik was eigenlijk nooit ziek en als ik al ergens pijn of last had, hield ik het stil om de concurrentie niet wijzer te maken. We waren maatjes en gingen samen trainen, maar er kwamen altijd momenten dat je wilde laten zien dat je sterk was, de sterkste wellicht, of toch op zijn minst dat je met de sterkste(n) meekon.

De zaterdag bracht ons een ontbijt en de opdracht twintig minuten later klaar te staan voor een fijne ochtendtraining. Oftewel, om elf uur het zonbeschenen bos van Beekbergen (Voorthuizen?) in joggen, met zijn allen, rielekst, lekker. Twintig minuten joggen en oefeningen later werd het toch wat pittiger: vaartspel. *Fartlek*, in goed Zweeds. Vaartspel is een ideale trainingsvorm voor een bossig gebied met optionele heuvels, wat zand hier, wat modder daar, even dwars door de bush voor wat horde/steeple/boomstronksprongen, stukje in ontspannen tempo om de afhakers de kans te geven terug te komen bij de kop van de groep, en tegen de tijd dat bijna alles weer compleet is de kreet 'drie minuten voluit!' We gebruikten dat doorgaande fietspad dat ik al kende van de vrijdagmiddag, maar ook wat echte bospaden, een zandverstoven heuvel (anderhalve minuut klimmen, langzaam maar zeker gaan je dijbeenspierenbranden, R., die voor me uitloopt – bijna twintig kilo zwaarder, maar zooo sterk –, heeft zo'n afzet en voetzwaai dat ik twee, drie keer zand hap, naar boven naar boven!), eigenlijk alles wat we tegenkwamen.

Na het douchen en de verdere lichaamsverzorging werd er uitgebreid geluncht, grote stapels boterhammen en koffie en thee en fruit en koeken (alleen voor de energie!), plus het wondermiddel van die jaren, in de AV'23-loopgroep: Fantomalt. Een soort dieetvoeding geloof ik, eiwitrijk en ideaal om te nuttigen als je moet aansterken na een operatie of anderszins lichamelijke tegenslag. Wij nuttigden het omdat we dachten dat we er sterker van zouden worden, zonder bijwerkingen, zonder smaak ook als ik me goed herinner. Paar scheppen door de yoghurt, roeren totdat het net geen klont was, wegsmikkelen. *If it don't kill you it'll make you stronger*, toch?

We hadden in die jaren ook een (1) triatleet op de club – het waren de jaren van Gregor Stam, Axel Koenders en, natuurlijk, Rob Barel – en hij was altijd in de weer met het ontwikkelen en uittesten van sportvoeding. Als je tien, elf uur onderweg bent dan wil je wel. Moet je wel. Die jongen heeft wat bananen gepureerd en honing door sapjes geroerd. Zijn mooiste poging vond ik het

Olvarit-recept. Hij had bedacht dat baby's heel veel energie nodig hebben – dat klopt, huilen en poepen zijn inspannende bezigheden – en nog niet zo best kunnen verteren. Dat klopt ook. Iedereen die weleens een periode luiers heeft verschoond, of poep geschraapt zoals het in mijn goedgelukte gezin heette, weet dat de Olvarit of Zonnatura er in principe net zo ingaat (kleur, consistentie, geur soms ook) als het er aan de onderzijde weer uitspuit. Baby's vinden het gewoon lekker vaak iets zachts en lauws in hun mond te hebben, en of dat nou een potje babyvoeding, een slurp moedermelk of een warme vochtige doek is, maakt denk ik vrij weinig uit. Maar goed, de triatleet mengde Olvarit met sportdrank en nog het een en ander. Kwam tot een semi-vloeibaar wondermiddel, nam dat voor het zwemmen tot zich en op de fiets ook en kotste het daarna in de berm. Zoals hij eigenlijk al zijn experimenten op enig moment uitkotste.

Een paar uur later liepen we een kilometer of dertien in wisselend tempo – wat door degenen in vorm werd opgevat als soms hard, soms heel hard. Heerlijke training, gaf je echt recht op die drie borden spaghetti met drie verschillende sauzen (vlezig, groentig-pittig, vegetarisch) die je aansluitend ging nuttigen. Water en vruchtensap erbij, daarna thee en koffie en taart en koeken en nog wat fruit en een fikse bak yoghurt met fantomalt en dan 's avonds laat nog twee boterhammen om alvast een bodempje te leggen voor de ongetwijfeld lange duurloop van zondag. Dat is vermoedelijk de belangrijkste reden geweest dat we niet echt aan spelletjes toekwamen: we hadden geen tijd, we waren aan het eten.

Er was ook een zaterdagmiddag – toegegeven, een andere zaterdag, maar een trainingsweekend is een trainingsweekend – dat we met een hartslagmeter in de slag gingen. En dan niet zo'n dun rubberig borstbandje dat zonder enige moeite signalen en waardes doorstuurt naar je ook al hightech polsklokkie. Nee, wij hadden een vroeg model. Ter grootte van een pakje sigaretten, met een elastische band om de borstkas te bevestigen. En dan een half-zo-groot kastje met een polsband voor om de pols waar je horloge niet zat. We hadden er één, door onze trainer geleend geloof ik, dus we liepen er omstebeurt mee. Maar wel heel hard. Na het inlopen gebruikten we een rondje door het bos, zo'n zeshonderd meter lang, voor een soort wisseltempo's, rondje hard, rondje nog harder, rondje voluit, rondje herstellen, zoiets. En dan maar kijken of dat kastje a. je hartslag oppikte b. een waarde aangaf die zou kunnen kloppen (224 slagen per minuut betekent bijna zeker dat de techniek van slag is) en c. je iets wijzer maakte over wat je aan het doen was. Ik geloof niet dat we elk rondje alle antwoorden kregen, maar het was leuk met dat ding te lopen, zeker omdat het warm was en je dus je shirt onder een boom kon laten liggen en slechts gehuld in schoenen, broekje en hartslagmeter door het bos kon stuiven. Dat voelde snel, vooral. Waarna ik jaren later, met een iets minder omvangrijk hartslagapparaatje, bemerkte dat een hartslagmeter voor mij eigenlijk alleen werkte om niet te hard te gaan. Als je tijdens een (lange) duurloop je hartslag in de gaten houdt, kun je ervoor zorgen dat je, inderdaad, niet te hard gaat. Zo lang mogelijk op reserve blijft lopen. En, hoe bizar dat ook lijkt als je 26 of 33 kilometer aflegt, dat je niet te diep gaat om die training te volbrengen. Omdat zo'n lange duurloop in een opbouw past, omdat je de volgende dag en dagen ook weer aan de bak moet, omdat je pas een paar weken later, als de marathon daar is bijvoorbeeld, echt diep moet gaan. En daar kun je maar beter geen hartslagmeter bij hebben, lijkt mij. Hoewel ik in de massa van grote wedstrijden zeer geregeld mensen zie (hoor!) die menen dat ze al piepend tot een betere eindtijd komen.

De zaterdagavond kon twee kanten op. Of uitgeput op en in de bank hangen (kopjes thee, bijvoederen, om tien uur naar bed).

Of kijken wie er voor in waren om in een naburig dorp de plattelandsdisco te bezoeken. En ik geef hier toe dat ik in die jaren nooit naar de disco ben geweest. Maar wel een keer om een uur of vier ben gewekt door degenen die dat wél hadden gedaan. Ze zongen op een wijs die ik absoluut niet herkende, maar door hen als zeer komisch werd ervaren, iets als: 'Jansen moet wakker worden. Jansen moet gaan trainen!' Ik had een beetje die naam, op de club, zei ik al. Ik vond alleen vier uur 's ochtends wat vroeg. De zondagduurloop kon ook om een uur of twaalf. Waarbij me opviel dat de marathonners die om vier uur 's nachts nog heel hard zongen nu, zeker de eerste twintig kilometer, heel rustig waren...

Het trainingsweekend bracht je samen – veel meer dan twee keer per week als groep die rondjes op de baan volbrengen. Je praatte ook eens over iets anders dan lopen, je leerde elkaars kookkunsten kennen en lichaamsgeuren en (on)hebbelijkheden, je maakte vrienden. En soms, heel soms, deelde je zomaar tent en slaapzak met een prachtige atlete.

Ik vond alleen de zondagavond lastig. Thuiskomen, alleen, spullen uitpakken en in de hoek van de badkamer gooien die als wasmand gold, moe en voldaan natuurlijk, maar ook opeens niemand om je heen. Geen ouwehoeren, geen grapjes, geen slappe lach, zelfs geen fantomalt. Dat was altijd een raar gevoel, in mijn eenkamerhuisje in Amsterdam-Oost.

En dan 'Wunderbar'. Uitroepteken. Ik hoor ons dat lied nog zingen, meezingen. Ik hoor ons de grootste lol hebben om dat lied, ons liedje, toen. En ik herinner me ook een moment, op zondag denk ik, dat een andere groep langs het raam van ons huisje liep, luid 'Wunderbar!!' zingend. Het klopte niet, want het was tenslotte 'ons liedje', maar het klonk opeens ook een beetje lullig. Als wij ook zo klonken was het wellicht toch niet zo'n heel goed liedje. We besloten, zonder het erover te hebben, het liedje niet meer te zingen. Ik besloot mijn aandacht volledig te richten op de mooie ogen van, jazeker, weer een ander onbereikbaar meisje. En realiseer me terwijl ik dit schrijf wie dat meisje was, dat zij door een bizarre speling van het lot nu een moeder is op hetzelfde schoolplein als waar ik mijn kinderen opwacht. Realiseer me daardoor ook dat dat Wunderbar-weekend helemaal geen trainingsweekend was, maar drie dagen om ons voor te bereiden op ons eerste studiejaar. Wat ook betekent dat ik daar echt de enige was die elke dag de loopschoentjes aandeed om het lichaam te kastijden. Want dat gaat altijd door, dat is wat ik normaal vind.

Bij elk belangrijk moment hoort een liedje. Bij veel liedjes hoort een moment, een plek, een persoon. En soms heb je het liedje wel gehoord maar blijk je de klepel echt op de verkeerde plek te hebben hangen.

Met grote dank aan Ernst van Wagensveld voor research en herinneringen.

Kees Kooman

Uehara, de marathonmonnik

Dit is het verhaal van de duizend ultramarathons die ik heb gelopen in en rondom Kyoto, de stad van de duizend tempels. Ik heb een traditie gevolgd die twaalfhonderd jaar standhoudt, ik heb de dood getrotseerd. Ik ben een Heilige Meester van de Zware Inspanning.

Mijn naam is Uehara Ajyari, en ze noemen mij marathonmonnik. In het jaar 1987 heb ik mijn voettocht van bijna vijftigduizend kilometer voltooid op handgemaakte sandalen van stro die – afhankelijk van de weersomstandigheden – soms vijf keer op een dag aan vervanging toe waren. Waarom ik dat deed zult u, ongelovige, niet kunnen begrijpen, zoals de meeste levenden zich de dood niet kunnen voorstellen, en de doden niet meer weten hoe het leven was. Gedurende mijn tocht was ik een levende dode, of een dode levende.

In de eerste drie jaar loop ik, zoals de regels voorschrijven, honderd dagen achtereen veertig kilometer. Daarna loop ik twee jaar tweehonderd dagen aan één stuk veertig kilometer. In het zesde jaar loop ik honderd keer zestig kilometer en overleef dankzij de goddelijke steun van Lotus Soetra, de *doiri* en hoef ik de zelfmoordattributen die ik bij me draag niet te gebruiken. Boeddha zij geprezen en ik zeg hem na: *Nam-myoho-renge-kyo.* Ik zing de mantra en voel mijn lichaam volstromen met kracht, vertrouwen en wijsheid.

Ik luister onderweg naar de zes geboden van de *Sennichi Kaihogyo*, 'de duizend dagen': 1. pij en hoed tijdens het lopen nooit afleggen, 2. er kan niet worden afgeweken van de voorgeschreven route, 3. rusten is uitdrukkelijk verboden, 4. voer voorgeschreven gebeden en mantra's naar behoren uit, 5. bezondig je niet aan roken en drinken, zolang je loopt, 6. beëindig in geval van opgave dit tijdelijke leven onmiddellijk door zelfdoding.

Ik ga 's nachts op weg naar het licht met vijf paar handgemaakte sandalen. Aan het begin van de reis ben ik nog een *gyoja*, leerling-marathonmonnik. Ik draag een lampion van rijstpapier en mijn reusachtige hoed van stro werpt vreemde schaduwen voor zich uit die ik niet vrees. Het is pikdonker op de hellingen van Hiei-zan, een berg ten noordoosten van Kyoto. In het spaarzame licht van de duisternis glinstert het stalen mes dat ik meedraag en dat ik zal moeten gebruiken als ik gedwongen word om op te geven. Iedere nacht vraag ik – zoals voorgeschreven – tweehonderdvijftig keer om goddelijke steun bij de verplichte bidplaatsen. Ik ben een pelgrim op zoek naar De Verlichting: *Togyoman Ajari*. Ik weet dat de totale uitdroging mij wacht, maar ik vrees niet. Ik ben de tweede zoon van het geslacht Gyosho, afkomstig uit het noordelijk gelegen dorp Shirakawa in Japan. Na afronding van de middelbare school heb ik het monnikenkleed aangetrokken als symbool voor een leven van onthechting. De leer van Boeddha wijst mij de weg naar het einde dat voor mij een nieuw begin zal zijn. Ik zweer trouw aan Zijn geboden, mijn leefwijze staat geheel in dienst van Zijn Almacht. Ik zweer geen voeding tot mij te nemen dat vlees bevat van onze medeschepselen, de dieren. Ik beloof te bidden, zo vaak Hij heeft voorgeschreven.

Mijn naam is Uehara Ajyari en ik behoor tot de Tendai, een boeddhistische monnikenorde. Hiei-zan is onze tijdelijke verblijfplaats op aarde, de heilige berg die uitkijkt over de stad Kyoto. We beschouwen Kôbô Daishi als onze aartsvader die hier in het jaar 805 een hut bouwde, uitvalsbasis voor een welvarende nederzetting van uiteindelijk drieduizend gebouwen. Het spijt me te moeten meedelen dat de Tendai-monniken niet alleen nederigheid en vrede hebben gepredikt in de geschiedenis. In het jaar 1571 leidde Oda Nobunaga een leger van dertigduizend zielen vanuit Hiei-zan naar plundering en vernietiging. We stonden in Japan tijdelijk bekend als de oorlogsmonniken van Kyoto. Ik vraag vergiffenis.

'Haat eindigt niet door haat
Haat eindigt door liefde
Dit is een eeuwige wet'
Boeddha

Ik ben nu zestien jaar ouder dan Kôbô Daishi was, toen hij de fundamenten legde voor ons geloof en onze houvast op de hellingen van Hiei-zan. De twaalf eeuwen zijn voorbij gevlogen, de regels van Kôbô Daishi zijn gebleven. Wij geloven in verlichting door veelvuldig bidden en zware fysieke inspanning. Onze meester hoorde een stem die zei dat alle gebedsplaatsen op de Hiei-zan heilig waren en dat ze veelvuldig met een bezoek moesten worden vereerd. Dat was het begin van de *Sennichi Kaihogyo*, 'de duizend dagen'. De staat van ontsnapping aan leven, lijden en sterven en een welkom in het nirwana willen wij reeds op aarde bereiken. Pijn is slechts een symptoom van de inspanningen die een opgave met zich meebrengt. Het nirwana is toen, nu en altijd.

Wij geloven in de wedergeboorte, en wij geloven in de verlichting nog tijdens ons tijdelijk verblijf in dit leven. Wij prijzen de schoonheid van de kunst, in tegenstelling tot veel andere boeddhisten. Ik prijs de schoonheid van de beweging, de herhaling van bewegingen. Ik loop, ik adem in, ik loop en adem uit en ik zeg: *Nam-myoho-renge-kyo*. Ik ben een voertuig in gods hand.

Mijn naam is Uehara Ajyari, en ze noemen mij de marathonmonnik. Wij geloven in verlichting door volledige overgave, zowel fysiek als mentaal: door studie en zelfopoffering. Oorlog voeren wij alleen nog maar met onszelf, het is een strijd die je alleen maar kunt winnen. Ik heb 'de duizend dagen' doorstaan, zoals veel voorgangers heb ik de *doiri* doorstaan, mijn lichaam heeft de ergste graad van uitdroging doorstaan. Ik lach om het leven, ik lach om de dood.

'De duizend dagen': zo noemen wij de periode waarin we bijna vijftigduizend kilometer afleggen, het grootste deel op de hellingen van de Hiei-zan, onze berg die is gelegen op 850 meter hoogte. Hoeveel monniken mij zijn voorgegaan in de geschiedenis is niet bekend, ik weet alleen dat ik de vierenzestigste ben, sedert 1885, die het voorrecht had te slagen bij de eervolle missie. Ik zeg: voorrecht. Het Drievoudige Juweel (Boeddha, Dhamma en Sangha) weet wat ik bedoel. De start is nooit voor elf uur 's avonds om de volgende morgen op tijd te arriveren in mijn huis, de tempel van Hiei-zan, genaamd Mudoji Myoodo. Mijn voeding bestaat uit enkele rijstballen, tofoe, een kom misosoep en een glas melk. Voordat ik op pad ga, sta ik mezelf toe enkele uren te rusten.

We passeren de gedenktekens van de overleden marathonmonniken onderweg. Wij benadrukken het goede in de tijdelijke mens. Wij geven niet toe aan pijn. Doe maar als Sakai, een van mijn voorgangers, aangevallen door een mannetjeszwijn. Met het mes, bedoeld om zelfmoord mee te plegen, heeft hij zijn ontstoken tenen bij volle bewustzijn opengesneden. Pus en bloed gutsten uit de wond. Hij vervolgde zijn weg met het mes in zijn hand geklemd vlak onder zijn keel, de punt naar boven gericht om niet te kunnen toegeven aan menselijke zwakte. Sakai verontschuldigde zich voor zijn late terugkeer in de tempel door te zeggen dat hij zich had verslapen onderweg. Wij zijn Sakai.

Wij zeggen hem, Sakai – die 'de duizend dagen' twee keer heeft doorstaan – na. 'Een mensenleven is als een kaars: half opgebrand is goed noch slecht. Ik wil dat de vlam van mijn lichamelijke oefening de kaars volledig opbrandt, en dat het licht van mijn inspanning op duizend plaatsen schijnt. Ik wil intens leven met dankbaarheid en zonder spijt. Oefening heeft geen begin of einde. Als inspanning en dagelijks leven samensmelten – dán is er sprake van werkelijk boeddhisme.'

'Het pad van beproeving
Waar zal toch
Mijn laatste rustplaats zijn?'
De monnik Hakozaki, leermeester van Sakai, ter ere van het volbrengen van 'de duizend dagen' van zijn pupil

Alleen ongehuwde monniken zijn op weg gegaan, of monniken van wie de echtgenote recent was overleden. 'De duizend dagen' loop je alleen, maar de natuur is altijd bij je. Ik ken het oorverdovende geluid van een vrucht die van zijn boom valt, ik kan van duizend vogels zeggen welk gezang hoort bij welk seizoen. Ik kan aan de wolken zien over hoeveel dagen de neerslag valt en in welke vorm die neerslag zal zijn. Ik luister naar de wind om te horen hoe ver de temperatuur zal dalen. Aan de kleur van schors kan ik zien welke insecten er leven. In duizend nachten heb ik de dieren, de bomen en de elementen leren begrijpen. Ik ben nietig, ik ben een deel van de natuur.

Ik, Heilige Meester van de Zware Inspanning, verklaar alle ontberingen moedwillig te hebben ondergaan. Ik heb voldaan aan alle eisen, geschreven door een twaalfhonderdjarige geschiedenis. Ik heb me gehouden aan de strikte regels van de loopstijl: kaarsrechte rug, schouders ontspannen, gelijkmatig tempo en de ogen strak gericht op de grond dertig meter voor me. De *Kaihogyo* schrijft een snelheid voor tussen wandelen en hardlopen in. Het maakt niet uit of je bergopwaarts of -afwaarts loopt: er is altijd sprake van één tempo. De ademhaling wordt bepaald door een gezongen mantra, een goddelijke tekst die niet van je lippen mag wijken. De combinatie van spiritualiteit en fysieke inspanning is als een perfect geijkte weegschaal. Je voelt geen vermoeidheid, je kúnt geen vermoeidheid voelen.

Vraag mij (u, ongelovige) nu, Uehara Ajyari op 47-jarige leeftijd, wat ik zou doen als ik mocht kiezen tussen een gouden olympische medaille en de status van *Togyoman Ajari* en ik zeg, zonder met mijn ogen te hoeven knipperen, het laatste.

Wij, de monniken van Tendai, geloven dat echte rijkdom van geestelijke aard is. Fysieke inspanning maakt vrij en roept bewustzijn op, helder als kristal. Wij streven niet naar records. Wat is een uur, als je tienduizend uur onderweg bent? Wat is een minuut of een seconde in de grote eeuwigheid? Wat is een gewone marathon van 42.195 meter in een willekeurige wereldstad met verversingsposten en applaus? Met tempomakers die hazen worden genoemd. Ik heb ze op televisie gezien, de recordmakers. Ze halen snelheden van boven de twintig kilometer per uur. Wij komen op de moeilijk begaanbare paden van de flanken van Hiei-zan misschien tot vijf kilometer. Maar wij doen onderweg tweehonderdvijftig gebedsplaatsen aan. Wij lopen op schoeisel van stro.

Wit is de kleur van de dood die wij niet vrezen. Dit tijdelijke leven staat immers in het teken van de verlichting en de reïncarnatie. Ik draag de witte pij die mijn voorgangers duizend jaar geleden droegen. In mijn gordel steekt het vlijmscherpe mes. Dezelfde gordel is geschikt om jezelf op te hangen. 'De duizend dagen' kan alleen maar worden onderbroken door de dood. Opgeven is geen alternatief voor de marathonmonnik.

Ik ben Uehara Ajyari voor mijn medemonniken, mijn officiele naam is Isakidera Gyosho en ik heb het bloed geproefd dat hoort bij de totale uitdroging. Het staat geschreven: op dag zevenhonderd van de duizend zult ge gedurende zevenenhalve dag en nacht noch drinken, noch eten, noch slapen. Ik draag mijn witte pij, en voel de scherpte van mijn mes. Ik ben nu in het gezelschap van twee jonge monniken die me wakker houden. Slaap is sterker dan dorst. Mijn lichaam is gehard de laatste dagen voor de *doiri:* ik ben steeds minder gaan eten, drinken en slapen. Grote god Fudo Myo-o, help mij om te waken!

Ik bid duizend keer per dag, rechtop gezeten. Ik zeg dank voor de regendruppels die mijn huid binnendringen, en de dauw. Eén keer per etmaal mag ik mijn mond bevochtigen met het water uit de heilige bron. Ik voel de smaak van bronwater en ik proef de smaak van bloed. Ik denk, ik zie, ik voel, ik hoor. Elk detail dringt vertraagd tot me door in deze zeven etmalen van de Totale Kleinheid. Mijn zintuigen functioneren duizendvoudig sterk. Het doet pijn aan mijn oren om vlinders te horen vliegen. Wat is pijn, wat is dorst in verhouding tot verlichting, de maximale vrijheid die een mens kan bereiken op aarde?

Ik mag mij *Togyoman Ajari* noemen, een Heilige Meester van de Zware Inspanning. Ik heb alle symptomen van de inspanning aan den lijve ondervonden: diarree, infecties, zwellingen van voeten en benen, bevriezing van lichaamsdelen. Hiervoor zeg ik Fudo Myo-o dank in deemoed, onze god die leert dat een schepsel zich nooit laat afschrikken van de voorgenomen taak, hoe zwaar ook. Pijn valt in het niet bij de dankbaarheid die ik voel voor de kracht die in mij stroomt. Die kracht is grenzeloos.

Mijn naam is Uehara Ajyari en ik heb het goddelijk applaus gehoord. Het is in de stilte van maanloze nachten, het is de aanwezigheid van wilde dieren, het is de geur van voedsel, bereid door de burgers van Kyoto, kilometers van mij verwijderd. Ik ruik de kruiden waarmee het eten op smaak is gebracht. Mijn lichaam is een voertuig dat zweeft door het luchtruim. Ik zie de blaren op mijn voeten, veroorzaakt door de schuring van vocht en stro, maar voel ze niet.

Ik kijk op hoofden, gebogen in deemoed, die ik moet zegenen, bij mijn dagelijkse ronde van 84 kilometer. Het zevende jaar speelt zich voornamelijk af in de straten van Kyoto. Ik zie de gouden gloed van de Rokuon-Ji tempel, een van de heilige plaatsen. De meeste westerlingen die onze traditie proberen te doorgronden en de kabelbaan nemen naar Hiei-zan Mudoji Myoodo – de weg van de minste weerstand – hebben de neiging met ongeloof te reageren. Uit hun boeken nemen ze de wijsheid mee die zegt dat de dood onherroepelijk intreedt na vier of uiterlijk vijf dagen zonder water. Zij kennen de krachten niet van het geloof in Het Drievoudige Juweel: Boeddha, Dhamma en Sangha. Zelfpijniging is zelfreiniging.

Ik, Uehara Ajyari of zo u wilt Isakidera Gyosho, die geproefd heeft van de verboden vruchten voordat hij naar de heilige berg kwam, zeg dat de marathon – de gewone marathon van 42.195 meter – niets anders is dan een zoektocht naar Het Onbespreekbare. Leven en dood zo dicht bij elkaar. Als je 'de muur' goed interpreteert, leer je de zinloosheid van records. Lopen is niets anders dan mediteren. De muur – dat ben jezelf. Fysieke inspanning maakt vrij en roept bewustzijn op, helder als kristal.

'Verleden, heden en toekomst vervloeien rimpelloos in elkaar
Zoek de rimpels op mijn gelaat!
Ik heb de dood gezien en niets meer te vrezen'
Uehara Ajyari

Met dank aan Yukiko Fujimori. Bron o.a.: The Marathon Monks of Mount Hiei, *John Stevens.*

Ron Teunisse

De koerier die nergens bij hoort

In 1988 wil ik de Elfstedentocht lopen en ook de spartatlon en de 254 kilometer lange Maratona dei Nuraghi op Sardinië. Aan die combinatie heeft niemand zich nog gewaagd en ik moet de eerste loper worden die het gaat doen. God mag weten waarom. Misschien om het vergeten van verdriet, iets te willen doen wat niemand doet, onsterfelijkheiddrang, eigenlijk weet ik het niet eens echt. Ik wil altijd grenzen verleggen. Vriend Knippenberg verklaart me van tevoren al voor gek, maar vindt het wel een mooi idee.

In 1987 had ik als eerste Nederlander de spartatlon volbracht, als vierde. Ik vond het een fantastische beleving en ik wist dat ik 'm sneller zou kunnen lopen. Meer trainen nog was het devies, en feitelijk liep ik in training dat jaar bijna alle weken tussen de tweehonderd en driehonderdvijftig kilometer om uiteindelijk, ondanks een blessure in november, op bijna tienduizend kilometer uit te komen. Voor de goede orde, dit alles met een fulltimebaan in de continudienst en drie kleine kinderen. Ik wil maar zeggen dat dit wel wat anders is dan wanneer je alle tijd hebt. Ik liep ook naar en van m'n werk, ongeveer twintig kilometer verder, en als ik na een late dienst over twaalven thuis was, moest ik de volgende dag weer regelmatig om half zes de deur uit. Achteraf gezien waren het tropenjaren. Het ging ten koste van veel. Ik leefde in een cocon, was veelvuldig geïrriteerd, kortaf en altijd moe. Ik was moe van het moe zijn. In april loop ik de Elfstedentocht. 212 kilometer in 19 uur 31, in tegenovergestelde richting, want ik heb nou eenmaal de neiging om tegen de richting in te gaan en me te onderscheiden. Als iedereen linksaf gaat, wil ik rechtsaf, een dwarsligger zal ik altijd blijven. Eind september sta ik aan de start in Athene. Niet overtraind zoals het jaar daarvoor, maar beter uitgerust, hoewel ik de dagen vlak voor de race, zoals gewoonlijk, bijna niet heb geslapen. Lopen naar Sparta, 246 kilometer verderop, en ik voel me al dodelijk vermoeid. Dat is niet zo erg als het lijkt, want als je je goed voelt is dat ook niet te vertrouwen, is m'n ervaring.

De grote favorieten zijn Rune Larsson en Patrick Macke, beiden al winnaar van vorige edities. En James Zarei, een gevluchte Iraniër en een van de allersterkste ultralopers boven de honderd kilometer. En dan spreken we pas van echt ultra. Ik zie ze nog steeds als kameraden, mannen die ik nooit meer zal vergeten; het zijn eenlingen, net zoals ik dat ben. Ondertussen ben ik zo gespannen dat ik de omgeving amper opmerk. Al het drukke, nerveuze gedoe, het centrum van Athene, het oude stadion van de eerste Olympische Spelen. Angsten heb ik over alles en nog wat en ik ben zo gestrest dat ik voor m'n gevoel al vóór de start een spartatlon heb gelopen.

Na het startschot rollen de lopers en de begeleidende auto's het krankzinnige verkeer van Athene in. Hoezo smog, hoezo gevaarlijk? Ik ga uiterst behoedzaam en langzaam van start in de veronderstelling dat ik de meeste lopers later wel zal inhalen, omdat bijna iedereen te hard weggaat. Wat ik vreemd vind, als je weet dat je 246 kilometer moet lopen. Elke drie, vier à vijf kilometer zijn er posten. Wel wat luxer dan in de tijd van de koerier, die in 490 v. Chr. alles alleen moest doen. Met een dodelijk belangrijke opdracht in oorlogstijd. Mijn opdracht is ook belangrijk, vind ikzelf. Maar nu, wie weet nu nog dat ik daar ooit liep en wie heeft het ooit geweten? Alles is betrekkelijk en ik leefde met oogkleppen op die tijd. Achteraf gezien moest dat natuurlijk ook, want te veel relativeren is het einde van de tocht. Dat is zeker.

Dwars door de ochtendspits van Athene en Piraeus gaat de groep tanige, voor het oog langzaam lopende koeriers richting

Sparta, een onvoorstelbaar eind verderop. Het is meer overleven, meer in beweging blijven, meer voortgaan dan hardlopen. Het is onverzettelijkheid. De factor psyche wordt belangrijker naarmate de afstand langer wordt. Rune zegt dat degenen die uitstappen voor negentig procent stoppen vanwege motivatieproblemen en niet omdat er blessures zijn. Ik geloof hem. Ik ben niet van plan om het op te geven en ik wil het zelfs sneller doen dan vorig jaar. De aanpak is dat ik minder wil stoppen of wandelen en minder tijd wil verliezen bij de posten. Ik heb geen toppositie in m'n hoofd en wil het zo goed mogelijk doen en er alles uithalen. Ik heb niet voor niets zo veel getraind. Ik weet dan nog niet wat me te wachten staat in het verloop van de race. Dat ik nooit meer zo dicht bij de overwinning zal komen als in deze race. Dat m'n gebrek aan zelfvertrouwen me uiteindelijk zal nekken.

Ik loop alleen en niet in een groep. Prettig om niet te praten, praten kost energie en alleen concentreer ik me beter. Geen idee heb ik hoe hard ik ga en in welke positie ik loop; daar kan ik me beter niet op richten want dan forceer ik te veel. Erg gedreven ben ik en het lukt om niet te veel tijd te verliezen bij de posten. Telkens pak ik een fles water en wat eten soms, het water dat ik niet drink giet ik over m'n hoofd. Het is heuvelachtig, klimmen, dalen, dorpen, olieraffinaderijen. Na zestig kilometer zie ik een groep met vier lopers, ik haal ze langzaam in en het blijkt de kopgroep te zijn, met Larsson, Zarei, Macke en een Bulgaar. Als ik naast ze kom lopen, zie ik ze verbaasd kijken. Zelf begrijp ik er ook niks van; ben ik in vorm? Loop ik niet te hard en is dit wel verstandig? '*Join the gang*,' zegt Macke. De Bulgaar valt vlak daarna weg en ook Zarei haakt af, vlak voor de lange klim naar Korinthe, langs de drukste snelweg van Griekenland; 82 kilometer en de temperatuur is boven de dertig graden.

Het is kwart voor twee in de middag. Snel pak ik bij deze grote post met veel publiek en pers, wat water, een banaan en wat yoghurt, neem in de haast een koek mee en zie Macke al een stuk voor me lopen, terwijl ik met Rune volg. Ik begrijp er niks van: ik loop vooraan, ik bedoel wie ben ik? Oud-Korinthe, 90 kilometer, waar de apostel Paulus predikte bij dezelfde tempel waar we nu langslopen. Samen met Larsson en Macke – beiden 2.18 marathonlopers, beiden al eerder winnaar van deze loop. Op 104 kilometer wil ik liggen, maar besluit toch maar door te gaan omdat het verrassend goed gaat en Macke terugvalt. Larsson neemt enige afstand nu, maar ik blijf hem binnen gezichtsveld volgen en zo zal het kilometerslang gaan, door de groene heuvels van de Peloponnesos. We slingeren omhoog en omlaag en steeds zie ik Rune een paar honderd meter voor me lopen. Ik praat zacht in mezelf, steeds dezelfde dingen, steeds onzeker, steeds die angst om in te storten. En ik ben sterk, nog nooit zo sterk als nu. Nemea, 125 kilometer, we zijn op de helft en het wordt licht schemerig. Rune is twee minuten voor me en ik ga vijf minuten liggen om de geest even rust te geven om vervolgens weer verstijfd en onzeker verder te gaan. Na vijf kilometer haal ik Rune weer in. De weg wordt een track en Rune wandelt even, hij eet wat en lijkt op me te wachten.

Nu maak ik de grootste fout van m'n lopersleven: ik blijf achter hem omdat ik te onzeker ben en bang ben mezelf te overschatten. Rune zegt niets en vervolgt zijn weg, verhoogt het tempo en loopt verder uit. Het wordt donker en ik zie hem niet meer. Na afloop zal Rune me vertellen dat hij bewust op me wachtte om de berg na 160 kilometer, de Sangaspas, samen op te gaan. Die berg is de scheidingslijn voor velen, er is geen looppad meer, zelfs geen geitenpad, slechts een rotsachtige flank. Rune vergelijkt me na afloop met een gouden ring in de neus van een varken, en met een mooie vrouw zonder hersens. Hij zegt dat ik iemand ben die met volle kracht loopt, maar met de handrem aangetrokken.

Vlak na de berg dicht bij het dorp Nestani loop ik verkeerd, kom uiteindelijk weer op de goede weg en word door de organisatie ruim tien kilometer later opgewacht en gedwongen met de auto van hen terug te gaan naar de plek waar ik een pijl miste, omdat er geen pijl was. Als er geen pijl is, zo verzekert de hoofdorganisator Eddy Parssons mij, brengt hij me weer terug. En als ik uiteindelijk gelijk blijk te hebben, rijdt hij snel de nacht in en laat me achter op het kruispunt waar ik uit zijn auto ben gestapt. Later zal ik hem uitschelden en hem naar de hel verwensen met zijn hele familie. Woedend ben ik en ik wil stoppen, zit een tijdje, maar besluit weer te gaan lopen. Was ik maar bij Rune gebleven.

De laatste 75 kilometer loop ik achter elkaar door, veel sneller dan welke andere loper ook, om uiteindelijk als tweede te eindigen. Rune is teleurgesteld dat hij zo moet winnen en zegt me dat ik voor hem de winnaar ben. De organisatie voelt zich schuldig en ik voel het duidelijk: dit was dé kans om de spartatlon te winnen en ik zal die nooit meer krijgen. Uiteindelijk finisht Rune in 24 uur 42 en ik in 25 uur 49. Ik had vijf kwartier verloren. Het motivatieverlies en de tien kilometer extra niet meegerekend. Inderdaad, een bizarre ontknoping. Het vervolg op Sardinië zou nog komen en is ook een verhaal dat eigenlijk niet te vangen is in een klein stukje als dit.

Ik zit in het vliegtuig dat me van Milaan naar Cagliari op Sardinië brengt. Het valt me op dat er veel mooie jonge mensen om me heen lachen en praten. Ze zijn blij. Ik niet. Ik voel me eenzaam, ellendig en kijk tegen de komende beproeving op. Waarom wil ik dit, waarom moet ik deze waanzinnige dingen doen? De dood voorblijven, onsterfelijk worden, terwijl ik weet dat dit flauwekul is. Ik ben de koerier die nergens bij hoort en zeker niet bij jonge, mooie, blije mensen. Vrolijkheid en zorgeloosheid zijn voor mij niet weggelegd, ik moet mezelf pijnigen om daarna even rust te voelen. Nog voel ik het verdriet van de verloren spartatlon en het besef dat ik levenslang heb in het gevecht tegen verlies en gemis. Dat staat symbool voor de eeuwige zoektocht, voor de weg die ik volg en het doel dat nooit wordt bereikt.

Het is al avond als ik aankom in het hotel, eten is er niet meer en ik eet het oude brood uit Castricum op. Met een slaappil slaap ik twee uur.

De volgende ochtend prop ik bij het ontbijt zo veel mogelijk naar binnen. Het hoofdplein in Cagliari is omzoomd met grote palmbomen en waanzinnig mooi, en er zijn veel mensen die de slechts 33 uitgenodigde lopers (en geen van hen had dertien dagen tevoren de spartatlon gelopen) overdonderen met applaus. Elke loper heeft een begeleidende auto met drie man. Alleen voor mij is er niemand en in allerijl moeten er vrijwilligers worden gevonden, die bereid zijn mij langer dan een etmaal en dus ook door de nacht te vergezellen. Typerend vind ik dit alles, maar zowaar, er worden drie man gevonden. Zijn het de dorpsgekken?

Ze spreken geen Engels en het enige wat ik nu nog van ze weet, is dat ik na afloop zie dat hun baarden in de vorm van zwarte schaduwen zijn gegroeid. Zo lang was de weg dus. In mijn herinnering was alles bizar en onwezenlijk en de ontknoping waanzinnig.

Wereldtoppers op de honderd kilometer, zoals de Tsjech Kamenik, de voormalige wereldrecordhouder op 48 uur Zabalo, winnaar en parcoursrecordhouder Dusan Mralvje en andere toppers stoppen mede door het drukkende, benauwde weer. Na de marathonafstand loop ik op positie 33, laatste dus, maar in de nacht schuif ik op. Niet omdat ik zo veel lopers inhaal, maar omdat velen dus stoppen. Ik herinner me de vele doodgereden slangen langs de weg, de zwerfhonden. En dat ik de latere winnaar Boris Bakmaz uit Sicilië, achter wie ik vele kilometers lang een paar honderd meter loop, na een kronkelige weg door een dorp, plotseling niet meer zie! Ik ben ervan overtuigd dat hij in de auto heeft gezeten. Nu kan ik daar weer doodziek van worden, maar tijdens de race en vlak daarna drong dat niet echt tot me door. Ik was te kapot om me nog ergens druk over te maken, ik was allang blij dat ik niet meer hoefde te lopen toen.

Midden in de nacht na een kilometerslange klim word ik erg duizelig en val flauw. De mannen leggen me op de weg met een deken over me heen en bellen de dokter en ik hoor ze in de verte '*Teunisse Olanda finito*' zeggen. Ik kom weer bij, sta op, gooi water over me heen en als de dokter komt, loop ik weer en zie ik de teleurstelling op de donkere gezichten van m'n begeleiders die dolgraag naar bed willen. Wanhopig bedenk ik hoe ik in godsnaam aan de finish moet komen. Ze hebben amper eten in de auto en m'n eigen spullen zijn allang op. Zonder voeding ploeg ik verder, ik moet en zal aankomen. Niets kan me stoppen, ook niet als ik na zo'n 180 kilometer bloed pis.

Nog 75 kilometer, zonder eten, met alleen water, op weg naar Sassari, het eindpunt. Ik herinner me de mooiste kustlijn, beschenen door een net opkomende zon, met steile rotsen en diepe afgronden, geen plaatsen of dorpen, enkel stilte en verlaten wegen en het gezoem van de volgauto. In de nacht word ik duizelig van het zwaailicht op de auto, goddank is dat in het licht van de opkomende zon voorbij. Ik ga voort en kom door de plaats Alghero waar een bakkerskar op een verlaten weg ons moeizaam tegemoet fietst en stopt en brood en berlinerbollen uitdeelt. Alles is zo gek. Het lijkt of ik in een Italiaanse film speel en ik bedenk dat ik zomaar wakker kan worden en in bed lig in Castricum. In Alghero hoor ik voor het eerst dat ik tweede ben in de wedstrijd en een uur achterlig op Bakmaz. Blijkbaar is iedereen voor me gestopt.

Ik krijg weer wat energie, misschien door het brood, na de vele uithongerende kilometers. Toch, alles gaat maar omhoog en ik moet nog twintig martelende kilometers. Ik haal een dikke fietser in, gekleed in een warm glimmend pak, die zich omhoog worstelt op een racefiets. Het is bloedheet, maar ik kom uiteindelijk in de straten van Sassari aan, zonder de laatste uren te hebben gestopt. De mannen in de auto schreeuwen me toe, ze schreeuwen de longen uit hun lijf en ik vind dat overdreven, maar ze proberen me wat te zeggen. Later blijkt dat ik de koploper had kunnen inhalen en dat ze me toeschreeuwden dat ik kon winnen. Later ook hoor ik dat Bakmaz in coma liep, ondersteund door drie man, van wie twee hem aan beide armen vasthielden en de ander hem voortduwde. Hij was er net zo aan toe als Gabriela Andersen-Schiess tijdens de Olympische Spelen van Los Angeles 1984. Hij had nooit op eigen kracht de finish gehaald. De uitgestapte lopers die in het oude stadionnetje wachtten, hadden dat gezien en hadden onder leiding van Dusan een petitie opgesteld waarin ze protesteerden tegen de gang van zaken en dat ze mij als winnaar wilden zien. De organisatie had het protest terzijde geschoven.

Ik weet daar allemaal niks van als ik het kleine stadion binnenloop en het applaus van de plaatselijke bevolking hoor. 26 uur 10, slechts vier minuten achter Bakmaz. Alles, echt alles, doet me pijn. Mijn vermoeide begeleiders omhelzen me, ik breek bijna in tweeën door de kracht waarmee ze dat doen. Ik plof in het gras. Artsen zijn bij de winnaar en ik weet dat ik in deze twee monstertochten twee keer eerste had moeten zijn, in plaats van tweede.

Nu, na al die jaren, voel ik me weemoedig en verdrietig als ik terugdenk aan die tijd en die tochten. Waar ik net naast de hoofdprijzen greep. Zo typerend, zo dichtbij en toch…

Zie voor meer informatie over Ron Teunisse: www.ronteunisse.nl

Maarten 't Hart

Terug bij af

In het bijbelboek Prediker staat de onvergetelijke tekst: 'Weder om zag ik onder de zon dat niet de snelsten de wedloop winnen, noch de sterksten de strijd.' Een specifieke reden geeft Prediker daar niet voor op. Hij zegt slechts: 'Want tijd en toeval treffen hen allen.' Wellicht zou hij nu zeggen: 'Niet de snelsten winnen de honderd meter en de marathon, maar degenen die 't gewiekst doping gebruiken.'

Drugs, daar wordt reuzenzwaar aan getild in de sportwereld. De dopingcontroles worden steeds verder verscherpt. Op de buis hoorde ik Pieter van den Hoogenband vertellen dat hij op elk moment, ook buiten het wedstrijdseizoen, aan een dopingcontrole kan worden onderworpen. Hij moet dan ten overstaan van twee artsen een plas doen.

De dopingcontroleterreur laat onbewimpeld zien dat er sprake is van een totale verstandsverbijstering bij al dat hollen en crawlen omwille van gouden plakken. Win je met tweehonderdste van een seconde van een medemens, dan word je uitbundig gefêteerd en mag je zelfs op een bordes verschijnen om door de koningin dan wel zo'n wedergeboren bandiet als Bush gelauwerd te worden. Wie zou onder die omstandigheden niet voor de verleiding bezwijken om die tweehonderdste van een seconde uit een ontraceerbaar pilletje tevoorschijn te toveren? Als ik dankzij een poedertje of drankje beter ging schrijven, zou ik het terstond doen, dus dat al die topsporters hun toevlucht nemen tot epo en aanverwante zaken, lijkt mij volstrekt vanzelfsprekend. Het vloeit rechtstreeks voort uit de enorme betekenis die aan al die voortdurend verder aan te scherpen records wordt toegekend.

En dan te bedenken dat elke haas moeiteloos de honderd meter sneller aflegt dan enig recordhouder en dat elke dolfijn bovengenoemde Pieter er spelenderwijs uitzwemt. Met goud bekroond en bedolven onder eerbewijzen voor iets dat elke antilope of hamerhaai beter kan!

We hoeven er derhalve niet vreemd van op te kijken dat die topsporters gerekruteerd worden uit de gelederen van, intellectueel gezien, de allergrootste uilskuikens. Florence Griffith heb ik nooit horen praten, want die bezweek reeds op jeugdige leeftijd. Waaraan? Naar alle waarschijnlijkheid aan de naweeën van het overvloedig gebruik van verboden anabole steroïden of vergelijkbaar moorddadig spul. Maar in een interview met hardloopster Nelli Cooman in het boek *Over smalle wegen* van Arjan Visser las ik de volgende memorabele uitspraak van dit haastige meisje: 'Je komt in de hel als je de Here Jezus niet aanvaardt, en je komt in de hemel als je dat wel doet.'

Even verderop in dat interview zegt ze onvervaard: 'Je kunt pas goede dingen doen, als je Jezus Christus kent.'

Zo dacht en sprak ik indertijd toen ik, vijf jaar oud, aan de lippen hing van de leerkrachten op de zondagsschool.

Ook mevrouw Gail Devers heeft rechtstreeks contact met de Allerhoogste. Met Hem verkeert ze, als eertijds Rachel met haar terafim, op voet van gelijkheid. Die heeft Gail bij wijze van spreken als epo in haar bloedbaan zitten om 'r aan de volgende gouden medaille te helpen.

Je ziet, voorafgaande aan hun wedstrijden, veel van die topsporters ook steevast kruisjes slaan en als ze gewonnen hebben, na afloop dankgebedjes doen. Het komt bij al die topsporters niet op dat zij hun overwinningen uitsluitend te danken hebben aan de nederlagen van alle andere deelnemers die, voorafgaande aan een wedloop of de honderd meter vrije slag, ook ijverig kruisjes sloegen en ook op hun knieën hebben gesmeekt en gebeden om de overwinning. Hebben hun kruisjes en gebeden dan niet geholpen? Als er ook maar een schijntje van bewijs was dat het doen van gebeden, het slaan van kruisjes, of een onverborgen omgang met God of Allah voordeel zouden bieden, dan zouden daarover dezelfde banvloeken worden uitgesproken als over het gebruik van doping.

Alleen door velen het onderspit te laten delven, kan God één uitverkorene laten winnen. Hij, die dat beseft, kan God onmogelijk danken voor zijn overwinning. Zijn triomf is gebaseerd op de vertwijfeling, het leed der verliezers. En daar er steevast een veelvoud aan verliezers is, blijken de meeste gebeden dus niet verhoord te worden. Wat een God, die zo velen in de kou laat staan, en zo weinigen helpt!

Gail Devers zit daar niet mee. God is haar beste vriend, woont bij haar om de hoek. Ze verkeert daarmee als ik met mijn hondje. Hoe eigenaardig dat zij, zozeer *on speaking terms* met haar Schepper, blijkbaar toch allerminst tevreden is over de wijze waarop Hij haar heeft afgeleverd. Met superlange, kromme kunstnagels wordt Zijn werk drastisch verbeterd. Of zouden die nagels – Florence Griffith wapperde er ook mee en ik zag bij de laatste Olympische Spelen ook allerlei andere hardloopsters uitgerust met superklauwen – God juist vertederen? Schonk Hij daarom Griffith en Devers zo vaak de overwinning?

Bij een foto van de lugubere nagels van Devers las ik het onderschrift 'Hoe meer vrouwen zich onderscheiden in mannelijke sporten, des te meer onderstrepen zij hun heteroseksuele vrouwelijkheid in hun uiterlijk'. Maar je onderstreept je vrouwelijke aard toch niet met klauwnagels die door geen enkele normale vrouw ooit gedragen worden? Vrijwel elke vrouw, aan wie ik de foto van Devers' nepnagels heb laten zien, reageert steevast met de bastaardvloek: 'Getver!'

Die kunstnagels zie ik veeleer als een onderstreping van een vergevorderde dierlijkheid van wezens als Griffith en Devers. Een duidelijke stap op weg naar vereenzelviging met de renners uit het dierenrijk die, zelfs als zij niet tot de snelsten van hun soort behoren, moeiteloos de wedloop winnen van elk mens onder de zon waar ze tegen uit zouden komen. Wie rent of zwemt om te winnen, keert terug naar zijn evolutionaire oorsprong, naar de tijden waarin wij nog voor ons leven moesten rennen of zwemmen om aan roofdieren of zeeslangen te ontkomen. Ooit immers, waren die tienden van seconden van levensbelang, betekenden ze het verschil tussen verscheurd worden dan wel het nog nét ontkomen aan kille kaaimankaken. Vandaar ook het overdreven belang dat aan al die records wordt toegekend. Zodra we gaan hollen, activeren we lang verborgen atavismen, worden we weer oerdieren te midden van de andere viervoeters en vissen, zijn we weer terug bij af.